MOSAICO ITALI

Racconti per stra

1

serie *Miba Investigazioni*

Nicoletta Santoni

La straniera

LIVELLO 2/4

Foto in copertina di Valerio Varrone

Printed in Italy

Bonacci editore srl
Via Paolo Mercuri, 8
00193 ROMA (Italia)
tel:(++39-6)68.30.00.04
fax:(++39-6)68.80.63.82
e-mail: bonacci@flashnet.it

ISBN 88-7573-336-8

Lunedì, 3 giugno
Ore 8.20

La sirena dell'ambulanza urla per le strade deserte di uno dei quartieri residenziali più tranquilli della città. Un poliziotto della stradale[1] ferma le macchine dirette a via Trionfale[2]. La gente guarda incuriosita.

L'ambulanza entra in una strada privata. Tutto è tranquillo e pulito. Non c'è un filo di vento. La giornata è serena. La temperatura è ancora mite.

L'ambulanza si ferma davanti al primo palazzo, un palazzo basso, di tre soli piani. Ne scendono un medico vestito di bianco e due infermieri in camice verde. Tirano giù la barella[3] che batte con un rumore secco sull'asfalto. Entrano veloci nel portone che il portinaio ha già spalancato.

Dopo pochi minuti sono di nuovo in strada. La barella ora è occupata. Una cascata di capelli biondi pende giù dal cuscino: è una donna, una giovane donna. Il suo corpo è immobile. Accanto alla barella, un uomo: quarant'anni circa, brizzolato[4], camicia leggera, bianca, aperta fino a metà petto, pantaloni bianchi, scarpe da tennis. Il suo sguardo è concentrato solo sulla donna. Non vede niente altro attorno a sé. Nonostante la disperazione che prova, la sua persona è avvolta da eleganza e fascino.

L'ambulanza riparte. Il condominio, dopo questo breve episodio di confusione, riprende la sua paralisi[5] quotidiana, insensibile ormai alla donna bionda e sfortunata.

Lunedì, 3 giugno
Ore 10.00

La sveglia di Miriam suona alle dieci. Miriam si gira dall'altra parte. La sveglia continua a suonare senza pietà.

Miriam allunga un braccio e la spegne. Si mette a sedere sul letto. Si guarda in giro: il tavolo è pieno di fogli, libri e giornali. Il telefono rosso è sganciato, la cornetta pende fino a toccare il pavimento coperto di moquette azzurra. Il segnale non si sente. È guasto.

---

[1] *La stradale*: la *polizia stradale*. Si occupa del controllo del traffico.
[2] *Via Trionfale*: strada molto lunga che parte dal centro e arriva a nord di Roma.
[3] *Barella*: lettino per trasportare i feriti.
[4] *Brizzolato*: con molti capelli bianchi.
[5] *Paralisi*: immobilità totale.

La tentazione di scivolare di nuovo sotto le coperte è forte. Solo con molto sforzo Miriam riesce ad alzarsi e ad entrare nella doccia.

Alle dieci e mezzo è seduta in cucina davanti a una tazza di caffè e latte. Accende la radio e la sintonizza su Radiodue[6] per sentire le ultime notizie.

Rai Giornale Radio GR 2, buongiorno.

Roma. È stato necessario un intervento delle forze dell'ordine per calmare i fan[7] *della nota investigatrice privata spagnola Lola Lago, da ieri nella capitale per partecipare a un talk-show*[8] *di Canale Cinque*[9]. *L'albergo di via del Corso, dove la celebre Lola Lago e i suoi fidati aiutanti sono scesi, è stato letteralmente circondato da gruppi di giovani ammiratori, come sempre accade per le grandi rock-star e per i divi di Hollywood.*

...

Sempre a Roma questa mattina è stata ricoverata in ospedale Jane Prince, la celebre fotomodella americana di origine italiana. Non si conosce la causa del malore[10] *che ha costretto il suo compagno, il noto fotografo Oliver Lombardo, a chiamare un'ambulanza. Jane Prince è tuttora in gravi condizioni. La prognosi è riservata*[11]. *Alcune informazioni fanno pensare a un problema di droga. Jane Prince, il cui vero nome – lo ricordiamo – è Giovanna Principi, è una delle fotomodelle più ricercate e meglio retribuite del mondo. Da due anni l'affascinante top-model si è trasferita a Roma per vivere con il suo attuale compagno, Oliver Lombardo.*

Miriam si alza e spegne la radio. Riaggancia il telefono. Lo alza di nuovo e controlla. Il segnale ora è regolare, può accendere la segreteria telefonica. Esce.

---

[6] *Radiodue*: uno dei tre canali radio della RAI (Radio Televisione Italiana), il servizio pubblico.

[7] *I fan*: le parole straniere che entrano nella lingua italiana rimangono invariate nel numero (*un fan/due fan*).

[8] *Talk-show*: programma televisivo durante il quale un presentatore e discute di uno o più argomenti con i suoi ospiti. Nel linguaggio dei mezzi di comunicazione di massa entrano con facilità parole inglesi (*audience, fan, show, share,* ecc.).

[9] *Canale Cinque*: emittente televisiva privata del gruppo "Mediaset" creata da Silvio Berlusconi (attuale *leader* del partito politico *Forza Italia*) alla fine degli anni Settanta. Canale Cinque trasmette in tutto il paese.

[10] *Un malore*: una malattia improvvisa non ancora ben precisata.

[11] *Prognosi riservata*: i medici non possono ancora dare la loro opinione con sicurezza.

Non vede l'ora di comprare il giornale. Vuole scoprire a quale programma televisivo è stata invitata Lola Lago. Ha un'idea in mente. È ancora un'idea vaga, ma sta prendendo forma. Prima, però, deve scoprire alcune cose sulla famosa investigatrice spagnola, cose molto importanti.

Esce dal piccolo portone di legno e si trova subito in strada, in mezzo a gruppetti di gente che vanno e vengono. La strada è invasa da giovani in fila davanti alla porta di un ufficio: è l'Ufficio del Lavoro.

Miriam abita a San Lorenzo[12], un quartiere di palazzi vecchi, dalle scale strette, senza ascensore. È vicino alla Città Universitaria[13], perciò molte case sono prese in affitto dagli studenti fuorisede[14]. A San Lorenzo o incontri persone anziane o incontri giovani squattrinati[15]. È come un paese: tutti si conoscono e tutti sanno tutto di tutti.

Miriam compra *Il Messaggero*[16] e si infila nel bar di Romolo per leggerlo in tranquillità.

– Ciao Miriam[17]. Che è successo stamattina? Sei caduta dal letto?[18]

– Molto spiritoso! – risponde lei – dài, fammi un cappuccino come piace a me, ben caldo e con tanta schiuma.

Miriam si siede all'unico tavolo del piccolo bar[19]. "Meno male che è libero" pensa, perché il bar a una certa ora si riempie di vecchie signore che, dopo aver fatto la spesa al mercato, si fermano a chiacchierare e a mangiare cornetti[20].

Apre il giornale alla pagina della cronaca di Roma e legge le notizie con impazienza. Su Lola Lago, nulla. "Forse è arrivata stanotte" pensa, "e ora come faccio? Non posso aspettare il giornale di domani". Le viene un'idea.

---

[12] *San Lorenzo*: quartiere non lontano dal centro storico, nei pressi della Stazione Termini.

[13] *Città Universitaria*: raggruppamento di diverse facoltà appartenenti a *La Sapienza*, la più grande e più antica università romana. Oltre a *La Sapienza*, a Roma esistono altre due università pubbliche (*Tor Vergata* e *Roma Tre*) e varie università o scuole parauniversitarie private, alcune delle quali religiose.

[14] *Fuorisede*: che proviene da un'altra città e vive a Roma solamente per studiare.

[15] *Squattrinati*: che non hanno soldi.

[16] *Il Messaggero*: quotidiano romano, letto soprattutto da commercianti, pensionati e da chi è interessato ai fatti di cronaca.

[17] L'uso del *tu* tra un commerciante e un cliente è possibile solamente tra persone che si conoscono da molto tempo o tra coetanei giovani.

[18] *Sei caduta dal letto?*: si dice scherzosamente a chi è solito alzarsi tardi la mattina (colloquiale).

[19] A Roma solo i grandi bar hanno dei tavoli dove sedersi. Nella maggior parte dei casi la gente consuma qualcosa in piedi, di fronte al bancone.

[20] *Cornetto*: nome romano di una *brioche*, un dolce a forma di mezza luna.

– Romolooo, Romolooo...

– Quando mi chiami così tu vuoi qualcosa...

– Non ti preoccupare, ieri ho preso lo stipendio e lo posso pagare, il conto. Voglio solo chiederti una cosa. Tu conosci Lola Lago?

– Chi? quella spagnola? quella... come si dice?... quella *detective*[21]?

– L'investigatrice privata. Sì, proprio lei.

– Mah... Io non so niente di queste cose. Chiedi a Enzo, lui non se ne perde una[22]...

Enzo è il ragazzo del bar. È un tipo alto, robusto ma così timido da sembrare piccolo e magro. Ogni volta che vede Miriam diventa rosso come un peperone.

Proprio in quel momento Enzo rientra con un vassoio pieno di tazzine da caffè e di bicchieri sporchi[23]. La voce di Miriam gli arriva dal fondo del bar.

– Ciao!

Enzo si gira di scatto. Non l'aveva vista.

– Buo-buo-buongiorno si-si-signorina – La sorpresa lo fa diventare molto più rosso di un peperone.

– Senti, ti posso chiedere una cosa?

– Sì certo – Enzo trema come una foglia[24].

– Perché non provi a darmi del tu, eh?

– Okay... Ehm, va bene signorina... voglio dire, Miriam...

Miriam sorride.

– Senti, tu conosci Lola Lago?

– Sì. È qui a Roma. È arrivata ieri sera. Mia sorella è pure andata all' Hotel Plaza a vederla.

– E l'ha vista?

– No perché c'era la polizia. Mia sorella ha un sacco di[25] manifesti di Lola. Li tiene tutti appesi in camera sua...

– Ma tu sai a quale programma deve andare?

---

[21] Molti italiani tendono a usare un termine straniero anche quando potrebbero usare una parola italiana.

[22] *Non se ne perde una*: non si lascia sfuggire nessuna novità, nessuna notizia mondana.

[23] Gli impiegati romani hanno l'abitudine di telefonare al bar più vicino per farsi portare un caffè o un cappuccino in ufficio. Il ragazzo del bar di solito ripassa in un secondo momento a ritirare tazze e bicchieri sporchi.

[24] *Trema come una foglia*: è molto emozionato.

[25] *Un sacco di*: (colloquiale) molto/a/i/e.

– Certo – risponde orgoglioso Enzo. Le sue guance sono ancora di fuoco, però è contento di essere utile alla *sua* signorina Miriam – va al "Maurizio Costanzo Show"[26]. Stasera...

– Grazie! – Miriam si alza di scatto.

Enzo se la trova pericolosamente di fronte. Il bacio di ringraziamento gli arriva così, all'improvviso.

Non può essere vero... Si sente svenire dall'emozione...

Romolo osserva la scena da lontano: non si è mai divertito tanto in vita sua.

Miriam esce dal bar di corsa.

– Romolo! Segna il cappuccino sul conto. Paaago domaaani! – grida dalla strada.

" Sì. *Domani*..." pensa il vecchio barista. "Poi va in centro e si spende tutto in vestiti". Ma lui vuole bene a Miriam e dopo un minuto non ci pensa più.

Enzo invece continua a pensare. Pensa e sospira. Sospira e pensa...

Poi, verso le undici, il bar si riempie di vecchie signore e di sacchetti della spesa piene di frutta e verdura.

Lunedì, 3 giugno
Ore 11.00

Oliver Lombardo è seduto fuori dalla porta del reparto di terapia intensiva[27] del Policlinico Gemelli[28]. Non lo lasciano entrare e di Jane ancora non riesce a sapere nulla. Ogni volta che un infermiere apre la porta, la intravede: è lì, addormentata, su quel letto di ospedale, pallida e immobile. Si sente impazzire.

Una vocina leggera lo riporta alla realtà.

– Signor Lombardo? Signor Lombardo?

– Sì? Mi scusi. Mi dica.... – si alza in piedi con uno scatto.

Una suora dal viso tranquillo e il velo bianco lo sta chiamando.

– Signor Lombardo, il professor Perroni ora la può ricevere.

---

[26] *Maurizio Costanzo Show*: *talk-show* trasmesso da *Canale Cinque* in tarda serata dal lunedì al venerdì. Maurizio Costanzo è il giornalista che lo conduce ed è stato il primo a introdurre questo tipo di spettacolo in Italia.

[27] *Terapia intensiva*: il reparto dove vengono curati i pazienti molto gravi.

[28] *Policlinico Gemelli*: uno dei più grandi ospedali di Roma. Fa parte dell'Università Cattolica del Sacro Cuore.

Lunedì, 3 giugno
Ore 12.00

È mezzogiorno quando Miriam suona il campanello di un vecchio appartamento di Trastevere[29]. Suona una prima volta ma non risponde nessuno. Allora suona una seconda volta tenendo il dito premuto sul campanello per diversi secondi. Finalmente sente i passi di sua nonna in corridoio.

– Chi è? – urla la vecchia nonnina da dietro la porta.

– Sono io, nonna. Sono Miriam.

– Chi? Virna?

– No, nonna, sono Miriam, MI-RIAM, MIRIAM! – "ufff! Che fatica!", pensa Miriam, "nonna Chelina[30] è sempre più sorda".

Finalmente la porta si apre.

– Ciao nonna, come stai?

– Miriam! che sorpresa, tesoro. Entra, vieni. Ma come mai sei venuta oggi? Non è mica domenica... – la domenica Miriam va sempre a pranzo da sua nonna.

– No, nonna. Lo so, ma volevo chiederti un favore. Stasera posso dormire qui?

– Qui? Ma certo. Perché, è successo qualcosa con Gino?

– No, nonna, Gino non è mio marito, è il marito di Lisa, LISA. Io non sono sposata, ti ricordi? Io vivo sola. Mi sono laureata sei mesi fa e ora lavoro nello studio di zio Mario, tuo figlio, l'avvocato. Ti ricordi?

– Eh, sì, eh... Beh, comunque anche Lisa è brava come te. Vieni. Ti faccio il caffè...

– No grazie nonna. Vado via subito. Vado a casa. Se non ti dispiace, ritorno stasera a cena. Devo vedere un programma in televisione che finisce molto tardi. Poi dormo qui, va bene? Ora vado. Ciao nonna. Ci vediamo dopo.

– Eh, sempre di corsa, sempre di corsa... ciao, ciao – saluta la nonna chiudendo la porta con delicatezza.

---

29 *Trastevere*: antico quartiere di Roma che costeggia il Tevere a sud-ovest di Città del Vaticano. Attualmente è abitato soprattutto da liberi professionisti, artisti e intellettuali. Un tempo era invece uno dei quartieri più popolari della città, al punto che i *trasteverini* si consideravano tali solamente dopo sette generazioni di residenza nel quartiere. A Trastevere si trovano molti ristoranti tipici romani.

30 *Chelina*: da Michelina, diminutivo di Michela.

Lunedì, 3 giugno
Ore 12.00

Oliver ora è nello studio del professor Perroni davanti alla grande scrivania vuota del medico. Si siede. Gli scoppia la testa[31]. Non gli sembra vero. Non può essere vero... Jane, la sua Jane...

Il professore entra da un'altra porta e si avvicina a passi decisi. Gli tende la mano. Oliver fa per alzarsi.

– Stia comodo. Sono Emilio Perroni, il primario[32] di questo reparto. Purtroppo non ho potuto riceverla prima. Ero con i medici che hanno soccorso la signorina Prince... Mi dispiace, ma la situazione è grave...

– Ma cos'ha? Cosa succede?

– Non sappiamo molto per ora. La signorina ha i sintomi di un avvelenamento. È fuori conoscenza[33]. Non riconosce nessuno. Mi può raccontare cosa è successo?

– Eravamo in casa... Io mi sono alzato presto perché dovevo andare fuori Roma per delle fotografie. Jane dormiva. Mentre stavo uscendo ho sentito un rumore che veniva dalla nostra camera da letto. Sono corso là e... l'ho trovata per terra, vicino al letto. Sembrava morta... però respirava. Mi sono spaventato e ho chiamato un'ambulanza. Poi siamo venuti qui... Non so niente altro.

– Ma ieri sera, cosa avete fatto? Siete usciti? Avete mangiato fuori? Avete...

– Avete?

– Avete preso qualche stupefacente[34]?...

Oliver si alza in piedi. Si sente ferito. È la solita storia. Il loro mondo, suo e di Jane, è per tutti un mondo corrotto. Anche per un medico di fama mondiale come Perroni. Ha voglia di reagire, di gridare. Ma a cosa servirebbe? Decide di mantenere la calma, com'è nel suo stile[35]. Tira un sospiro e si rimette seduto.

– Professore, devo chiarire una cosa. Io vivo con Jane Prince da due anni ormai. Il nostro è un rapporto tranquillo. Lei viaggia molto per il

---

31 *Gli scoppia la testa*: (informale) ha molto mal di testa; è molto confuso.
32 *Primario*: il medico che dirige un reparto in ospedale. Al primario ci si rivolge chiamandolo *professore*.
33 *È fuori conoscenza*: non riconosce niente e nessuno.
34 *Stupefacente*: droga.
35 *Com'è nel suo stile*: come è solito fare.

suo lavoro. Io, invece, come forse lei sa, preferisco lavorare a Roma. Non fotografo mai Jane... Lo abbiamo deciso quando ci siamo conosciuti... La nostra è una storia tranquilla, non ha nulla a che vedere con quello che si legge su certe riviste...

– Sì, però lei deve capire...

– ...Jane non ha mai preso nessun tipo di droga – ormai Oliver non può più fermarsi – neanche le pillole per dimagrire. I suoi genitori sono emigrati negli Stati Uniti pensando di fare fortuna[36], e invece sono morti in un incidente stradale quando lei aveva sette anni. Jane è cresciuta in un orfanotrofio[37] di suore. Ha fatto la maestra nei quartieri più poveri di New York. Poi un talent scout l'ha notata e ha cominciato a fare qualche sfilata. Lei sa cosa vuol dire farsi da soli[38], e non è certo stupida...

Ora Oliver è di nuovo in piedi. Molto vicino al medico. Il medico lo guarda serio. Oliver è furibondo. Perroni, invece, è preoccupato.

– Se le cose stanno così le chiedo scusa, signor Lombardo. Ma in un certo senso la situazione è ancora più grave. Così non sappiamo proprio da dove cominciare per una diagnosi[39]...

In quel momento un'infermiera entra nello studio.

– Professore! Presto! Jane Prince... Corra! Faccia presto!

Lunedì, 3 giugno
Ore 21.00

Alle nove Miriam sta finendo di lavare i piatti della cena in casa della nonna. La nonna è seduta in salotto, in una poltroncina di stoffa consumata[40] e guarda una *telenovela*[41] trasmessa da un canale locale. Il volume è altissimo.

A Miriam non piace guardare la televisione, preferisce uscire, andare al cinema, leggere. Per questo non ha mai voluto comprare un televisore.

---

36 *Fare fortuna*: diventare ricchi.

37 *Orfanotrofio*: istituto dove vivono i bambini senza genitori.

38 *Farsi da soli*: emergere, avere successo solamente grazie alle proprie forze e capacità.

39 *Diagnosi*: la definizione che dà il medico della malattia che sta esaminando.

40 *Consumata*: molto usata.

41 *Telenovela*: teleromanzo a puntate. La parola latino-americana è entrata nell'italiano grazie al successo che queste trasmissioni hanno avuto.

Miriam apre le persiane della finestra. L'aria fresca è meravigliosa. È l'aria di Trastevere che entra nella piccola casa insieme alle voci della gente e al rumore di piatti e bicchieri che viene su dal cortile.

La casa è al terzo piano. Proprio di fronte c'è un altro palazzo. A destra sporge una casa antica, con un tetto chiaro che risalta anche di notte, al buio. Un gatto miagola disperato da un piccolo balcone fiorito.

Per un istante Miriam ritorna col pensiero alla sua infanzia: è bambina. Rivede nonna Chelina giovane, la vede mentre legge tranquilla, seduta nella stessa poltroncina dov'è ora. Lei e il nonno, intanto, giocano a carte.

Da allora sono passati molti anni e le cose sono cambiate: il nonno non c'è più e con lui sono scomparsi tanti volti conosciuti di Trastevere. Con il tempo le vecchie famiglie sono state mandate via, una dopo l'altra. Era un quartiere popolare ma ora si è trasformato in una zona alla moda. Sono arrivati gli artisti, gli scrittori, i giornalisti. Hanno comprato le case, quelle case antiche, con i soffitti in legno e le terrazze grandi dove è bello cenare la sera, d'estate, quando soffia il ponentino, il vento leggero di Roma.

Anche nonna Chelina deve lasciare la casa. È anziana. Quanto potrà resistere ancora? E dopo? Potrà mai abituarsi a vivere in un palazzo moderno, di cemento, nel traffico caotico?

Miriam sospira. Accosta le persiane della cucina, si accende una sigaretta, "basta, da domani smetto di fumare", decide, come tutte le sere.

Verso le undici la nonna va a letto e Miriam va a darle la buonanotte.

Finalmente si sistema sulla poltroncina di stoffa: il "Maurizio Costanzo Show" sta per cominciare.

Lunedì, 3 giugno
Ore 23.00

Oliver ormai aspetta da diverse ore. Perroni è ancora dentro. Oliver non può entrare in sala di rianimazione[42]. Si sente impazzire. Passeggia nervosamente in corridoio.

---

[42] *Sala di rianimazione*: la sala dove si effettua la terapia intensiva per cercare di risvegliare la malata.

Arriva davanti all'ascensore. Si apre la porta. Ne esce un poliziotto che gli si avvicina con discrezione.

– Mi scusi, lei è il signor Lombardo?

– Sì. Sono io – Oliver è stanco e depresso. Appoggia un braccio alla parete, la fronte sul braccio, ha bisogno di chiudere gli occhi per qualche secondo.

– Sono l'agente Monaco. Sono di turno giù al Pronto Soccorso. Ci sono dei giornalisti che vogliono avere notizie di Jane Prince...

– I giornalisti... certo... – Oliver pensa a quando ha iniziato a fare il fotografo. Aveva diciassette anni... Prima di poter lavorare nella pubblicità, prima di diventare famoso, in quanti ospedali è andato? Quanta gente in fin di vita ha disturbato? Forse il suo passato non è poi così pulito... ma bisogna rispondere... rispondere per dimostrare chi è Jane. – Può dire che Jane Prince è grave. Si tratta di un'intossicazione, ma non è una drogata. Probabilmente è questo che vogliono sapere.

– Va bene. Grazie e...

– Sì? – Oliver riapre gli occhi stanchi e nota con sorpresa che l'agente è molto giovane. È alto, pallido, biondino. È vestito da poliziotto, ma l'uniforme sembra troppo grande per lui.

– ...auguri per la signorina...

– Grazie.

Lunedì, 3 giugno
Ore 24.00

Miriam, davanti al teleschermo[43], tiene gli occhi fissi solamente su Lola Lago. Maurizio Costanzo presenta anche Paco e Miguel, i suoi aiutanti.

Lola è molto bella: magrissima ("da domani mi metto a dieta" pensa Miriam), mora, occhi grandi e scuri. Il contorno degli occhi è sottolineato da una riga nera, le labbra sono di un rosso fuoco. Indossa un abito aderente, scollato, lungo, semplice ed elegante.

---

[43] *Teleschermo*: televisore.

Maurizio Costanzo trascura[44] gli altri ospiti per intervistare solo lei.

– Come le è venuto in mente di fare la detective?

Non appena Lola Lago inizia a rispondere, la sua voce viene coperta da quella dell'interprete.

– Beh... Ho sempre letto molti romanzi gialli[45]. Fin da bambina avevo una vera e propria passione per le storie complicate e misteriose. Ma non avevo mai pensato di fare l'investigatrice privata. Poi, finiti gli studi, mi sono trovata davanti a due strade: lavorare in un ufficio per otto ore al giorno, oppure inventarmi un lavoro più interessante... e così è nata la "Lola Lago Investigazioni" e...

– ... e in poco tempo è diventata famosa in tutto il mondo...

– Sì. È vero – continua la brutta voce dell'interprete – ma non è stato solo per un colpo di fortuna. Ho atteso per mesi, finché non è arrivata l'occasione giusta... Un miliardario molto noto in Spagna è stato rapito durante una vacanza. Ebbene... io ho seguito la storia giorno per giorno e ho iniziato a indagare con l'aiuto dei miei assistenti. Nessuno mi aveva chiesto di farlo, è stata una mia iniziativa. Dopo un mese il caso era risolto, e noi eravamo diventati famosi...

Mentre l'applauso[46] cresce, Costanzo annuncia una pausa per la pubblicità.

Miriam si alza, va in cucina e prende una coca cola dal frigo. "Inventarmi un lavoro più interessante. Ecco cosa devo fare" pensa versando la coca in un bicchiere "certo... e lasciar lo studio legale di zio Mario. Tanto ... fare l'avvocato non fa per me...

Martedì, 4 giugno
Ore 5.00

Oliver è in piedi nel triste corridoio dell'ospedale. Un dolore acuto gli parte dallo stomaco, gli tocca il cuore e infine sale, cercando una via di uscita che non trova. Rimane lì, fermo, bloccato con un nodo in gola[47].

---

44 *Trascura*: lascia da parte.
45 *Romanzi gialli*: romanzi polizieschi.
46 *Applauso*: quando il pubblico batte le mani.
47 *Un nodo in gola*: quando siamo molto commossi e angosciati e non riusciamo a piangere.

continua a ripetere la stessa frase.

Lombardo... mi dispiace...

uni malati fanno la fila davanti al telefono.

nde vita. L'ospedale prende vita. Solo Jane non pren-ne è in coma[48]...

edì, 4 giugno
re 7.00

Alle sette l'odore di caffè sveglia Miriam. Dal suo letto può vedere la cucina: nonna Chelina versa il caffè in due tazzine piccole piccole[49].

Nonna Chelina è bassina. I capelli bianchi, candidi, sono tirati indietro e tenuti da un fermaglio. Il suo vestito è come sempre scuro e semplice. A Miriam piacciono molto i suoi orecchini: rotondi con una piccola perla antica nel mezzo.

Miriam prova molta tenerezza nel guardarla. La vede mettere tre cucchiaini di zucchero in ogni tazzina e mescolare con attenzione.

Miriam finge di dormire. La nonna, per svegliarla, la chiama sottovoce.

– Miriam, Miriam... ti ho fatto il caffè, come piace a te: forte e dolce...

Miriam sorride. Bacia la nonna per augurarle il buongiorno e poi si sistema il cuscino dietro la schiena, per sedersi a prendere il caffè. Prima di mandarlo giù, però, fa un bel sospiro, perché lei, il caffè, lo prende sempre amaro e con molto latte.

Sono solo le sette ma non importa: Miriam ha da fare. Deve tornare subito a casa sua, a San Lorenzo.

Deve cercare un ufficio da prendere in affitto, deve aprire al più presto un'agenzia di investigazioni... Anche Lola Lago ha cominciato così. Da zero.

---

48 *È in coma*: è fuori conoscenza, non reagisce a nessuno stimolo esterno.

49 *Piccole piccole*: molto piccole. Nella lingua parlata si tende a raddoppiare un aggettivo invece di usare la forma del superlativo.

Martedì, 4 giugno
Ore 7.00

Oliver esce dal reparto dove è ricoverata Jane. Scende al piano terra. Entra nel Pronto Soccorso dando un colpo violento alla porta a vetri.

Cerca l'ufficio della polizia. Lo trova con facilità. Entra senza bussare.

Vede il ragazzo pallido seduto dietro una scrivania. Il giovane poliziotto ha lavorato tutta la notte, ha molto sonno. Con una matita riempie una scheda gialla. Probabilmente si sente osservato perché alza gli occhi stanchi lentamente.

– Signor Lombardo... – lo riconosce all'istante.

– Volevo dirle una cosa...

– Prego... – il giovane gli indica una sedia, ma Oliver rimane in piedi.

– Jane Prince è fuori conoscenza. È grave. I medici dicono che può morire. Se viene qualche giornalista può dirglielo... – Oliver non aspetta la reazione del poliziotto. È già in strada.

Il ragazzo lo rincorre, grida.

– Aspetti! È stata aperta un'inchiesta[50]! Ho bisogno di lei!

Ma Oliver non sente più niente. Un giornalista gli si avvicina. Oliver lo evita. Vede passare un taxi. Lo chiama con un gesto rapido del braccio.

Sale e fugge.

Via! Via dal dolore, via da quel nodo che gli stringe la gola.

Martedì, 4 giugno
Ore 9.00

Alle nove Miriam è seduta da Romolo. Ha con sé *Porta Portese*[51]. Lo apre alla pagina degli annunci immobiliari[52]. Ha bisogno di un'agenzia in una zona centrale. Lo dice a Romolo.

Il vecchio barista la guarda sorpreso.

– Ma non lavori più con tuo zio?

---

[50] *Inchiesta*: indagine, investigazione.

[51] *Porta Portese*: giornale romano di annunci di vario genere (compravendita di oggetti; annunci di lavoro; affitto di abitazioni, locali e uffici).

[52] *Annunci immobiliari*: annunci che riguardano gli *immobili*, cioè le case.

– No. Da oggi non ci vado più. Sono stanca. Non imparo niente e poi io non posso fare l'avvocato, né ora né mai...

– Ma allora, perché hai studiato legge[53]?

– Non lo so. Perché è sempre stato così nella mia famiglia... Mio nonno era avvocato, mio padre era avvocato... Mi sembrava naturale. Ora, però, ho capito che non posso... non posso stare ferma...

– Ma che vuoi fare?

– Voglio fare l'investigatrice privata! – la risposta le esce così, all'improvviso.

Miriam è pentita di averlo detto. Era meglio mantenere il segreto, almeno per i primi tempi.

Romolo prende una sedia e si avvicina alla sua giovane amica. Per lui è come una persona di famiglia, quasi una figlia. La guarda. Si siede vicino a lei.

– Miriam. Ti rendi conto di quello che dici? Tuo zio è uno degli avvocati più famosi di Roma e tu dici che non impari niente... non hai una lira[54] e cerchi un appartamento al centro... non sei nessuno[55] e vuoi fare l'investigatrice privata?!

Miriam guarda Romolo. Ha voglia di abbracciarlo e mettersi a piangere. A parte nonna Chelina, la sua famiglia vive lontano. La libertà le piace, ma a volte si sente un po' sola.

Per farsi forza pensa a Lola Lago: non l'ha mai vista piangere in pubblico.

– Non ti preoccupare Romolo – proprio in quel momento vede entrare Enzo e cambia discorso – ciao Enzo, come va? Hai notizie di Lola Lago?

– Di Lola Lago no. Ma lo sai che Jane Prince è in coma?

– Davvero?

– Sì. È al *Gemelli*. È stata avvelenata. Ora la polizia cerca Oliver Lombardo: è accusato di tentato omicidio. Lui però è sparito. Un poliziotto dell'ospedale dice che lo ha visto uscire e salire su una macchina, e poi... fff! Scomparso.

– E perché l'ha avvelenata? – chiede Miriam.

– Ma non è lui l'assassino – Enzo è così preso dal discorso che di-

---

53 *Legge*: Giurisprudenza.
54 *Non hai una lira*: non hai abbastanza soldi (colloquiale).
55 *Non sei nessuno*: non sei famosa.

mentica di arrossire – Paolo, mio fratello, fa il cameriere e quando lui e Jane organizzano le feste lo chiamano per servire gli ospiti. Lui li conosce bene. Oliver è cotto[56] di Jane...

Miriam ha un lampo di genio[57]: ha davanti a sé la più grande occasione della sua vita.

Prende Enzo per un braccio e lo trascina via. Non vorrà baciarlo un'altra volta?! Quella ragazza è terribile. Fa di tutto per spaventarlo...

– Ascolta. Tuo fratello dov'è?

– Chi??? – Enzo non crede alle sue orecchie.

– Tuo fratello. Ci devo parlare subito.

– A casa. Dorme. Miriam... senti... mio fratello lavora di notte, la mattina dorme... Non posso telefonargli. Si arrabbia...

Miriam guarda Enzo.

– Dài...

"Mio Dio che occhi!" Enzo non può resisterle... Prende il telefono e fa il numero di Paolo.

Martedì, 4 giugno
Ore 12.00

Ora Paolo è lì, seduto davanti a Miriam, all'unico tavolo del bar di Romolo. Ha gli occhi gonfi di sonno e appena può lancia delle occhiate di rabbia verso Enzo, che si è alzato per servire i clienti.

Paolo è diverso dal fratello: non è timido, anzi... guarda Miriam in un modo...

Miriam ha il viso regolare, una cascata di riccioli neri tenuti indietro da una fascia e due grandi occhi verdi.

Offre un caffè a Paolo ma lui preferisce un aperitivo, un Campari. Il caffè lo tiene sveglio, dice, perciò lo prende solo di sera...

– Posso chiederti una cosa? – comincia Miriam.

– Anche due... – risponde Paolo avvicinandosi a lei.

Enzo è nervoso. Controlla da lontano i movimenti del fratello. "Lo sapevo che non dovevo portarlo da lei" pensa.

---

[56] *Cotto*: molto innamorato (colloquiale).

[57] *Ha un lampo di genio*: ha una buonissima idea.

Miriam va avanti con la sua idea.

– Tu conosci Oliver Lombardo e Jane Prince, vero?

– Sì, perché?

– E come sono?

– Normali... gentili, voglio dire. Qualche volta danno dei ricevimenti[58], io vado, porto dei camerieri e gli organizzo la serata. Due brave persone... Jane Prince, poi, è una ragazza molto semplice. Ora dicono che si droga, che beve, ma io in quella casa non ho mai visto droga e non l'ho mai vista bere... Una volta uno, durante una festa, ha provato a tirare fuori della cocaina, ma Oliver lo ha fatto smettere.

– Veramente non parlano di droga, dicono che è stata avvelenata e cercano Lombardo. La polizia crede che...

– Lombardo? Oliver? È assurdo! – ora sì che Paolo è sveglio. Si alza in piedi e fa qualche passo nervosamente. Poi si calma e si siede di nuovo. Ancora più vicino a Miriam.

Enzo non lo perde di vista un secondo. È sempre più agitato.

Miriam riprende il discorso con attenzione. Non vuole ancora far capire a Paolo che questa cosa per lei è importante. Per ora preferisce non dare spiegazioni.

– Ma... chi invitavano a queste feste?

– Beh... a volte erano feste di lavoro, e allora c'erano dei produttori, dei giornalisti, delle colleghe di Jane, dei fotografi... altre volte erano feste private, di amici...

– E droga mai...

– Mai, tesoro. Te l'ho già detto... – e Paolo mette un braccio intorno alle spalle di Miriam.

Miriam è in imbarazzo. Che c'entrano ora quegli occhi da furbo? E come risolve Lola Lago queste situazioni?

Ma ecco che Enzo viene in suo aiuto buttando a terra un vassoio pieno di bicchieri. Miriam ne approfitta: si scioglie dall'abbraccio di Paolo e corre ad aiutarlo.

Romolo scuote la testa dalla disperazione, "ai tempi miei non avevamo tanti grilli per la testa[59]", pensa. Poi, con pazienza, si china anche lui a raccogliere i vetri...

---

[58] *Dei ricevimenti*: delle feste.

[59] *Non avevamo tanti grilli per la testa*: non avevamo tante idee strane, tante fantasie.

Giovedì, 6 giugno
Ore 19.00

Sono le sette quando Oliver apre gli occhi.

È sdraiato in un letto. Si guarda intorno. Si tira su a sedere.

In bocca ha un sapore amaro e gli occhi gli bruciano da morire. "Dove sono?" si chiede con stupore. Non riconosce nulla di quella camera, non riconosce quei mobili bianchi, lucidi, quel comodino, quella poltrona e quel piccolo tavolo. Laggiù, sotto alla finestra, c'è persino un frigobar.

Pian piano si alza. Ha un forte mal di testa. Si avvicina a uno specchio: ha la barba lunga, di almeno due giorni. Continua a non capire.

Dov'è Jane?

Un dolore acuto lo fa quasi svenire.

Improvvisamente ricorda...

Giovedì, 6 giugno
Ore 20.00

Miriam è seduta da "Ciccio il pizzettaro[60]". Aspetta Enzo, il ragazzo del bar, e Paolo, suo fratello. Sono in ritardo.

Il cameriere è nervoso: quella non è una pizzeria dove si può rimanere seduti a lungo, fuori c'è una fila di gente che vuole occupare il tavolo.

Finalmente li vede entrare: Enzo, così alto, castano, dall'aspetto forte eppure così timido, e Paolo, basso, magrolino, moro e con quell'aria buffa[61] da conquistatore latino... Certo, non sembrano fratelli...

– Ciao Miriam – dice Enzo piegandosi per darle la mano.

– Ciao bella – la saluta invece Paolo accompagnando le sue parole con due sonori baci sulle guance.

– Che prendete? – chiede il cameriere che non li ha persi di vista neanche un momento.

– Io una capricciosa[62] – risponde Paolo.

---

[60] *Il pizzettaro*: il pizzaiolo (chi fa le pizze) in dialetto romanesco.
[61] *Buffa*: strana e leggermente ridicola.
[62] *Capricciosa*: pizza con pomodoro, mozzarella, funghi, prosciutto e uova.

– E io una margherita[63] – risponde Enzo.
"Sempre d'accordo i due fratelli!" pensa Miriam.

Giovedì, 6 giugno
Ore 19.15

Oliver ora è di nuovo seduto sul letto di quella stanza sconosciuta. Ricorda che Jane... la sua Jane... è in fin di vita. E niente altro.
Si alza. Guarda dalla finestra e vede un enorme parcheggio.
Prova ad aprire una delle due porte che ha davanti a sé e si ritrova in un bagno dall'aria lussuosa. Va verso l'altra porta e tira la maniglia con tutta la forza del braccio. Ma in realtà la forza non serve, perché, con sua grande sorpresa, la porta si apre dolcemente.
"Ma come sono arrivato qui?" pensa.
Si guarda intorno: è in un albergo, in un albergo di prima categoria. Il corridoio è pulito, il pavimento è coperto da una moquette rosso scuro e sui muri sono appesi dei quadri.
La sua stanza è la numero 132. Chiude la porta dietro di sé e va a chiamare l'ascensore.
Una signora gli passa accanto e lo saluta con un sorriso. Lui non ha il coraggio di fare domande. Preferisce scendere.
Le porte dell'ascensore si aprono lentamente: è al piano terra.
– Buonasera – lo saluta il portiere.
"È sera? Dio mio com'è difficile fare finta di niente..." Si sforza di rispondere con cortesia, ed esce.
Si guarda intorno e rimane quasi paralizzato dalla sorpresa...

Giovedì, 6 giugno
Ore 20.30

Mentre Enzo e Paolo mangiano la pizza, Miriam spiega il suo piano. Ha bisogno di loro. I due fratelli la possono aiutare. Ma non è facile. È la prima volta che parla con qualcuno dei suoi progetti.

---

[63] *Margherita*: pizza con pomodoro e mozzarella.

– Vi ho chiesto di venire qui perché ho in mente un'idea...

Enzo smette di masticare e la guarda con attenzione. Paolo invece fa il duro e continua a tagliare la sua pizza, ma si vede che anche lui è interessato alla cosa.

– Allora – prosegue Miriam un po' impacciata[64] – il fatto è che io ho un'idea... mi è venuta pensando a quello che è capitato a Jane Prince. Mi volete aiutare?

– Ma perché, tu la conosci? – chiede Paolo.

– No. Non lo faccio per questo. Voglio scoprire chi ha tentato di ucciderla. E perché. Non credo che Oliver Lombardo...

– Ma come? Non lo sai? – la interrompe Enzo.

– Cosa?

I due fratelli si guardano tra loro. Miriam sta per perdere la pazienza. Insomma, il capo[65] è lei, anche se loro ancora non lo sanno. Ed è l'unica, sembra, a non sapere qualcosa di molto importante.

Giovedì, 6 giugno
Ore 19.25

L'aria è fresca. Anche troppo per una serata di giugno.

Il rumore delle macchine che gli passano davanti è assordante.

Oliver ancora non può crederci... l'albergo da cui è appena uscito è un motel, e quella che ha di fronte deve essere la Roma-Firenze[66].

O la Firenze-Roma.

Chissà da quale lato dell'autostrada si trova?

Devono essere le sette, le otto al massimo. La fame si fa sentire.

Rientra in albergo. Cerca il ristorante. Gli viene un dubbio. Controlla la tasca dei pantaloni: il portafoglio stranamente è lì, al suo posto. Lo apre. È pieno. Ci sono la patente, la carta di identità e persino i soldi e le carte di credito.

Ma allora può anche andarsene. Non deve pagare l'albergo. La ce-

---

[64] *Impacciata*: che dubita, non è sicura.

[65] *Il capo*: chi comanda.

[66] *La Roma-Firenze*: l'autostrada che collega Roma a Firenze; è un tratto dell'Autostrada del Sole.

na può aspettare. Per prima cosa deve tornare in ospedale... ma certo... da Jane... Ma perché è così confuso???

Ha bisogno di un caffè. Entra nel bar.

– Un caffè, molto forte, per favore.

Il barista lo guarda. Ma quello non è... come si chiama?... quello che ha cercato di uccidere quella modella... quello che fanno vedere in televisione... Un telefono! Presto!

Dopo pochi minuti due poliziotti sono accanto a Oliver.

– Il signor Lombardo?

– Sì?

– Lei è in arresto. Deve venire con noi.

Oliver sente che la testa gli sta per scoppiare.

Giovedì, 6 giugno
Ore 21.00

– Allora, posso sapere cosa succede? – chiede Miriam un po' infastidita dal comportamento misterioso dei due fratelli.

La pizzeria è sempre più affollata e il cameriere sempre più nervoso.

– Hanno arrestato Oliver Lombardo. Stasera, verso le sette. Era sull'autostrada, la Roma-Firenze, in un motel. Lui dice che non ricorda niente. Non sa perché, né come è arrivato lì. La polizia però non ci crede. Pensano che Jane...

– Già – lo interrompe Miriam – Jane è stata avvelenata... da lui... dal suo uomo... ma perché?...

– Per gelosia.

La risposta di Enzo fa sorridere Miriam.

– Beh... per gelosia è un po' strano, non credi? Pensa un momento alla situazione: Jane Prince è una modella famosa. Anzi, è più che famosa, forse la migliore. Ogni giorno incontra un sacco di gente ricca, attraente e affascinante. Si innamora di Oliver Lombardo e vanno a vivere insieme... – i due fratelli ascoltano assorti senza osare interrompere – ...fila tutto liscio[67]. Lunedì scorso, all'improvviso, Jane si sente ma-

---

[67] *Fila tutto liscio*: va tutto bene.

le. La portano in ospedale. Lombardo le rimane vicino per circa ventiquattr'ore poi, quando Jane entra in coma, si scopre che è a causa di un veleno. Solo a questo punto lui scompare. Lo ritrovano due giorni dopo sull'autostrada. Dichiara di non ricordare nulla. La polizia cosa deduce? Che nasconde qualcosa. Lo credono responsabile dell'avvelenamento e perciò lo accusano di omicidio!

– Tu dici di no, eh? – chiede Enzo. Ora l'idea della gelosia gli sembra un po' ingenua.

– No – risponde decisa Miriam.

– No – conferma Paolo.

Miriam fa finta di niente ma già da un po' si è accorta che Paolo ha smesso di mangiare. Ha gli occhi lucidi. "Certo, sta pensando a Jane e Oliver... loro sono sempre stati gentili con lui" pensa "ma è troppo orgoglioso per farlo vedere. Paolo fa il duro ma in fondo è sensibile, è proprio la persona adatta". È molto contenta del suo intuito femminile... Somiglia sempre di più a Lola Lago.

– Allora, mi aiutate?

– Se ci dici perché... – risponde Paolo che ha già riacquistato la sua sicurezza.

– Voglio fare l'investigatrice privata.

– ?!

Enzo dalla sorpresa rovescia il bicchiere pieno di birra: quella ragazza prima o poi lo farà uscire di testa[68].

Paolo, al contrario, rimane calmo. Troppo, forse. Magari cercava proprio l'occasione di aiutare Oliver.

Non appena Enzo riesce a calmarsi i due fratelli si guardano con aria di complicità. È la prima volta che succede.

– Okay, *Lola Lago* noi ci stiamo[69] – dice Enzo.

Miriam sorride. Ce l'ha fatta[70]!

– Senti... che ci fai il conto? – urla Paolo verso la cassa.

"Era ora" pensa il cameriere.

---

[68] *Uscire di testa*: (colloquiale) impazzire.
[69] *Noi ci stiamo*: (informale) noi siamo d'accordo.
[70] *Ce l'ha fatta*: ci è riuscita, ha raggiunto lo scopo.

Venerdì, 7 giugno
Ore 9.00

Sono le nove. Oliver ha appena chiamato il suo avvocato.

Non è a studio ha risposto la voce impersonale della sua segretaria *è a Regina Coeli*[71]*, per un caso urgente.*

Probabilmente l'avvocato Gracco ha già saputo del suo arresto e sta arrivando, perché Oliver è proprio lì, a Regina Coeli.

È solo, in una stanza triste e spoglia[72]. Aspetta il magistrato[73].

Finalmente ha un po' di calma per pensare: tre giorni, lo hanno cercato per tre giorni da quando Jane è entrata in coma. Lo accusano di averla avvelenata e di essere fuggito per il rimorso[74]... rimorso?

No... non può credere che la sua Jane ora... lei ha bisogno di lui, deve andare da lei. Oliver ricorda chiaramente l'odore dell'ospedale, la voce di quel medico, come si chiama? ah sì, Perroni: *Jane è in coma, è molto grave. Ha una possibilità su mille di salvarsi...* E poi? E poi la nausea, la nausea che ha provato quando si è svegliato in quel motel sconosciuto.

Si apre la porta della stanza. Entra una guardia carceraria.

– Signor Lombardo, è arrivato il suo avvocato.

Venerdì, 7 giugno
Ore 9.00

Miriam, Enzo e Paolo sono seduti da Romolo. Niente ufficio in centro. Per un po' è meglio risparmiare, così Miriam ha deciso che per ora il bar è una sede perfetta. Anche perché Enzo non può certo lasciare il lavoro.

Miriam è la mente del gruppo. Il capo è lei, nessuno lo mette in dubbio...

Romolo non sa cosa pensare e scuote la testa ogni volta che li vede parlottare misteriosamente.

– Allora, io ora vado alla Biblioteca Nazionale[75] e cerco di scoprire alcune cose importanti su Lola Lago...

---

[71] *Regina Coeli*: una delle carceri di Roma.
[72] *Spoglia*: vuota.
[73] *Magistrato*: in questo caso *giudice*.
[74] *Rimorso*: il pensiero terribile di aver fatto qualcosa di male.
[75] *Biblioteca Nazionale*: la Biblioteca Nazionale Centrale in viale del Castro Pretorio, nei pressi della Stazione Termini. Nella Biblioteca Nazionale c'è anche l'emeroteca, dove è possibile consultare i quotidiani.

– Scusa, ma che c'entra Lola Lago con Jane Prince? – chiede Enzo.
– Lola Lago è una professionista. Voglio vedere sui giornali se ha mai aiutato qualcuno accusato di tentato omicidio – Miriam è già in piedi vicino alla porta con la sua enorme borsa e le chiavi del motorino[76] in mano – ci vediamo qui verso l'ora di pranzo. Okay?

Venerdì, 7 giugno
Ore 10.00

Oliver Lombardo e Giulia Gracco, il suo avvocato[77], sono in piedi nella stanzetta triste.
La stanza è sporca. La finestra è troppo piccola e l'aria ha una cattivo odore. Odore di persone che parlano, che si confessano.
Oliver sa che è fuori luogo[78] ma sente il desiderio improvviso di fotografare quella stanza. Proprio in quello spazio così nudo si sta decidendo il suo futuro: "è uno spazio essenziale, lo spazio minimo della vita" pensa.
Giulia si avvicina senza dire nulla e lo abbraccia.
Oliver e Giulia Gracco si conoscono da vent'anni. Sono più che amici, come fratello e sorella. Oliver per la prima volta lascia andare le lacrime che tiene in gola da quella maledetta mattina di martedì. Non sa cosa dire, ma Giulia per ora non chiede nulla... si limita a stringerlo. A stringerlo forte.

---

[76] *Motorino*: ciclomotore (piccola motocicletta). A Roma la metropolitana permette di raggiungere una zona molto limitata della città e gli autobus pubblici sono lenti a causa del traffico. Molti romani, perciò, si muovono in macchina o in moto (motociclette, ciclomotori).
[77] *Avvocato*: nella lingua parlata si usa anche per le donne. Il femminile *avvocatessa* è molto formale.
[78] *È fuori luogo*: non è il momento adatto.

Venerdì, 7 giugno
Ore 10.00

Miriam è all'entrata della Biblioteca Nazionale.

Entra nell'ufficio permessi[79] e chiede un passi[80] per l'emeroteca.

– Ecco – dice l'impiegato porgendole il foglietto con un sorriso.

"Mica male il tipo" ma Miriam non ha tempo di pensare agli uomini ora. Ha troppe cose da fare... e al più presto.

Entra nella sala che le interessa. Un'impiegata dall'aria seria distribuisce quotidiani di ogni genere.

Miriam pensa di chiedere i giornali del 4 giugno. Il 3, infatti, Lola Lago è stata a Roma.

Prende una scheda di richiesta e inizia a scrivere ma... qualcosa attira la sua attenzione...

È scattato il suo intuito femminile...

Venerdì, 7 giugno
Ore 10.30

Oliver e Giulia sono seduti l'una di fronte all'altro.

– La situazione è molto grave – dice Giulia offrendo una sigaretta all'amico.

Sono più di tre anni che Oliver ha smesso di fumare ma con un gesto automatico la prende, l'accende e aspira profondamente.

– Lo so – risponde – io non capisco più niente. Non so cosa pensare. Sei andata in ospedale?

– Sì.

– Jane è...? È...?

– No, stai tranquillo. Non è morta. Però è grave, e noi ora dobbiamo affrontare un problema alla volta. Tu sei accusato di tentato omicidio.

La parola *omicidio* fa scattare qualcosa nella mente di Oliver e per la prima volta sente una specie di scossa che lo fa reagire.

---

79 *Ufficio permessi*: l'ufficio che rilascia il permesso (l'autorizzazione) per entrare.

80 *Passi*: il permesso scritto per entrare (si chiama così soltanto negli uffici pubblici).

– Un omicida, io? Ma perché? Perché?

– Perché sei fuggito. Non dovevi fuggire in quel modo. Se non avevi niente da nascondere dovevi rimanere e telefonarmi.

– Ma ero sconvolto... Volevo stare solo... E poi come facevo a sapere che la polizia sospettava di me?

– E va bene... Ma perché eri sull'autostrada? Raccontami cosa è successo. Dove sei stato quando sei uscito dall'ospedale?

– Non lo so. So che è assurdo ma io non lo so. Ricordo solo di essere uscito. C'era un ragazzo giù al posto di polizia che mi chiamava... era quasi un ragazzino... io ero sconvolto e ho preso un taxi...

– Poi?

– Poi ho chiesto di andare a... aspetta! ho chiesto... di... non lo so... non mi ricordo...

– Questo è il problema. La polizia ti ha cercato per due giorni e mezzo. La tua macchina è sotto casa tua da domenica scorsa. Ora la polizia sta cercando il taxi che ti ha portato sull'autostrada. Però nessun autista risponde e...

– Ma...

– Ascolta, ti prego... nessuno risponde e anche questo è molto strano. Un tassista ricorda perfettamente un cliente che si fa portare per duecento chilometri. E poi c'è il fatto che tu non ricordi nulla. Tu... sì, insomma, davvero non ricordi nulla? È molto importante...

– No. Niente di niente. Solo un grande mal di testa. Sono stato drogato, ma la polizia non mi crede.

– Dove siete stati con Jane domenica sera?

– Non abbiamo fatto nulla di speciale. Dovevano venire dei nostri amici ma all'ultimo momento hanno chiamato per dire che non potevano. Allora siamo usciti noi due da soli. Siamo andati in centro. Abbiamo passeggiato un po' al Pantheon[81] e poi siamo andati a mangiare in una trattoria lì vicino, dove andiamo sempre.

– Non hai notato niente di strano? Voglio dire: Jane ti sembrava normale?

– Normalissima. Era serena, te lo giuro, Giulia, stavamo benissimo.

---

[81] *Pantheon*: a piazza della Rotonda, nel centro di Roma. Antico mausoleo del 25 a.C., trasformato nel 609 in chiesa cristiana. Vi sono sepolti Raffaello e i re d'Italia. Nella zona, molto centrale, i romani spesso passeggiano e si incontrano con gli amici per prendere qualcosa insieme (un gelato, una birra ecc.).

Proprio quel pomeriggio parlava di smettere con il lavoro. Voleva un figlio... un figlio, ti rendi conto?

– Cerca di ricordare: per caso non è successo niente di diverso?

– Era un po' troppo sentimentale, questo sì. Per lei è strano. In genere non parla molto della sua famiglia, dei suoi, voglio dire. E invece da qualche giorno parlava spesso dei suoi genitori... Aspetta! Quando stavamo per uscire per andare a cena, è squillato il telefono e Jane ha risposto dalla stanza da letto.

– E hai sentito cosa diceva?

– Sì. Ho sentito che diceva a qualcuno che stavamo andando a cena fuori... ho sentito che insisteva, diceva *No, no. Preferiamo andare da soli.* Ah! Ha detto anche un'altra cosa, ha detto... ha detto *glielo dico, te lo prometto. Magari domani.*

– E tu? Non le hai chiesto nulla?

– Sì. Mi ha detto *Voglio farti una sorpresa. È così bello avere qualcun altro, oltre te.* Era un po' eccitata, misteriosa...

– E non hai pensato... Sì, insomma, tu non è che, per caso, hai pensato a un altro, no?

– Giulia! Anche tu con questa storia dell'amante! Ma io non sono mai stato geloso di Jane. Come potrei sopportare le sue sfilate? I suoi viaggi? La settimana scorsa era a New York, due settimane fa a Parigi... Ho pensato "deve aver scoperto qualcosa dei suoi genitori" e poi è successo quello che è successo e forse... forse Jane non mi potrà mai più fare la sua sorpresa...

Venerdì, 7 giugno
Ore 12.30

Miriam punta la sua attenzione su una ragazza in piedi vicino a lei. È alta, molto alta. Bella, di una bellezza semplice ed elegante, per nulla volgare. Indossa degli occhiali scuri e un cappello che le copre anche la fronte fin sopra agli occhi.

Ha chiesto molti giornali, alcuni di qualche anno fa, altri... altri del 4 giugno!

Gli stessi che voleva lei!

La ragazza misteriosa si dirige verso un tavolo libero. Appoggia i giornali davanti a sé. Si siede. Si guarda intorno per qualche secondo. Sembra in dubbio.

Miriam finge di scrivere, ma non le stacca gli occhi di dosso.
Finalmente ecco che con un gesto deciso si toglie cappello e occhiali. Miriam rimane senza fiato[82]! La riconosce subito: è Barbara Martini, una collega di Jane Prince.

Venerdì, 7 giugno
Ore 15.00

Oliver è in macchina con Giulia Gracco. Oliver è agli arresti domiciliari[83].

– Ricordati che devi rimanere in casa. Non puoi uscire neanche per andare a trovare Jane. Ho parlato con il professor Perroni: è ancora grave e non può vedere nessuno. E poi, anche lì c'è una poliziotta davanti alla sua porta... – Giulia continua a dare consigli, ma Oliver non la ascolta.

È molto stanco. Gli hanno tolto il passaporto come a un ladro, come a un... assassino!

Ecco, sono arrivati. Il portinaio si avvicina al finestrino. Lo saluta. Ha fiducia, dice, nella giustizia. Oliver gli chiede di tenere lontano i giornalisti. Scende dalla macchina di Giulia.

– Cosa devo fare? – chiede all'amica.

– Cerca di scoprire con chi ha parlato Jane la sera della cena. Jane non ha un'amica? Forse qualcuno sa qualcosa. Ti stava preparando una sorpresa, magari ne ha parlato a un'amica, a una collega.

– Va bene. Ora telefono subito a Barbara. È una top-model anche lei. Sono molto amiche.

---

[82] *Rimane senza fiato*: rimane senza parole, molto sorpresa.
[83] *Arresti domiciliari*: Oliver non può lasciare il suo domicilio (la sua casa) senza un permesso del giudice.

Venerdì, 7 giugno
Ore 15.30

Sono circa tre ore ormai che Miriam aspetta con pazienza.

Barbara Martini continua a sfogliare i suoi giornali. Miriam finge di leggere e intanto la controlla. Ha quasi perso le speranze quando...

...ci siamo!

Barbara Martini sembra aver trovato quello che cercava!

Si sofferma su un articolo. Tira fuori dalla borsa una penna e scrive qualcosa su un foglio. Riconsegna i quotidiani in fretta e furia[84]. Miriam ha appena il tempo di fare lo stesso con i suoi giornali. Barbara è troppo presa dai suoi pensieri per accorgersi di lei. Indossa di nuovo occhiali scuri e cappello e si precipita verso l'uscita.

Miriam la segue con attenzione: percorre un tratto di viale del Castro Pretorio, gira a destra per via Vicenza, arriva a via Marsala, attraversa la strada ed entra nella stazione[85]. Passa davanti alle biglietterie e si dirige decisa verso l'Ufficio Informazioni.

Miriam deve assolutamente avvicinarsi: Barbara Martini non ha motivo di sospettare nulla. Chi potrebbe riconoscerla con quel cappello in testa? E poi, le modelle in jeans e senza trucco sono irriconoscibili...

Miriam si mette in fila proprio dietro di lei. Ecco, è il suo turno.

Dalla sua posizione la sente parlare con l'impiegato.

– Mi scusi, io devo andare in questo posto – dice porgendogli un bigliettino attraverso lo sportello – è un paese, credo.

Barbara ha un accento milanese molto marcato.

L'impiegato consulta qualche librone ingiallito prima di rispondere.

– A Colle La Costa non c'è la stazione, ha capito? – urla per farsi sentire attraverso i vetri opachi per la sporcizia – Niente treno! Deve andare a via Palestro[86], alla stazione dei pullman.

Colle la Costa?!

Miriam non deve perdere quest'occasione. Barbara non è romana e ci metterà un po' ad arrivare a via Palestro.

---

[84] *In fretta e furia*: in fretta e anche con un certo nervosismo.

[85] *Stazione*: la Stazione Termini, la stazione ferroviaria centrale di Roma. Oltre all'entrata principale di piazza dei Cinquecento ci sono quelle laterali di via Marsala e di via Giovanni Giolitti.

[86] *Via Palestro*: non lontano dalla stazione Termini. Da qui partono molti pullman diretti a piccole località difficilmente raggiungibili in treno.

Miriam corre via. Dopo pochi minuti è alla biglietteria dei pullman e scopre con sorpresa che Colle La Costa è un piccolissimo paese umbro[87], vicino Spoleto[88].

– C'è un pullman alle sette, tutti i giorni, tranne la domenica – la informa l'impiegata con voce monotona e annoiata.

Miriam compra due biglietti per il giorno dopo. Il suo intuito le dice che Barbara Martini farà lo stesso.

Venerdì 7 giugno
Ore 15.30

Oliver tenta disperatamente di telefonare a Barbara Martini. È l'unica vera amica di Jane. La cerca inutilmente nella sua casa di Milano[89]. La chiama sul cellulare[90] ma lei non risponde. Ma perché lo tiene spento? E come mai non viene a trovare Jane?

Giulia Gracco ha detto che non può ricevere nessuno senza il permesso del giudice, perciò Oliver inserisce la segreteria telefonica. Il telefono squilla senza sosta. Lo cercano tutti: estranei, conoscenti, amici. Vogliono sapere, offrono il loro aiuto, lasciano un messaggio, persino... persino... ma che strano! Persino quel cameriere che gli organizza ogni tanto i ricevimenti... come si chiama? Ah, sì, Paolo, Paolo Boni. Torna indietro con il nastro per riascoltare la voce del ragazzo.

Mi sente? Signor Lombardo... Io sono Paolo, il cameriere. Si ricorda, no?... le lascio un numero dove mi può chiamare perché le devo parlare... Io, forse, posso darle una mano... Il numero è 44465013. Beh... allora, arrivederci.

Oliver prende un foglietto che è lì, accanto al telefono, e scrive il numero di Paolo: quattro-quattro, quattro-sei, cinque-zero, uno-tre.

Sul foglietto c'è scritto qualcosa: *Colle La Costa*. Cosa mai vorrà dire? È la scrittura di Jane... gli occhi gli si riempiono di lacrime.

---

87 *Umbro*: dell'Umbria, regione dell'Italia centrale tra la Toscana, le Marche e il Lazio.

88 *Spoleto*: in provincia di Perugia. Si tratta di un centro turistico e culturale (40.000 abitanti circa) di rilievo internazionale. Ogni anno è sede del "Festival dei Due Mondi", una delle più interessanti manifestazioni culturali italiane.

89 Milano, dove si tengono in genere le sfilate, è considerata la capitale dell'alta moda.

90 *Cellulare*: telefono portatile. È diventato un oggetto di moda, così chi può permetterselo lo compra, anche se spesso non ne ha un bisogno reale.

Venerdì 7 giugno
Ore 16.00

Miriam entra di corsa nel bar di Romolo.

– Paolo! Paolo!

– Paolo non c'è. È appena andato via. Stasera lavora. C'è una festa non so dove... – la informa Enzo.

– Sai se ha telefonato a Lombardo?

– Sì ma ha risposto la segreteria. Paolo ha lasciato il numero di qui. Ma secondo te, con tutti i guai[91] che ha, Lombardo richiama Paolo?

– Bisogna farsi dare il numero, subito! Come possiamo rintracciare Paolo?

– Il numero di chi? – chiede con uno strano sorriso Enzo mostrando a Miriam un foglietto.

– Di Lombardo! Ce l'hai! Bravo!

Questa volta Enzo è pronto a ricevere il bacio del capo. "Però!" pensa Miriam "non è più tanto timido!"

Miriam indica il telefono che è vicino alla cassa.

– Scusa Romolo, posso fare una telefonata?

Romolo le lascia la sedia scuotendo la testa. Ormai è rassegnato... quella ragazza è piena di energia.

Miriam compone il numero di Lombardo. Risponde la segreteria telefonica. Miriam è nervosa. È la prima volta che si presenta come investigatrice. Ecco il segnale, deve parlare.

– Buonasera, mi chiamo Miriam Blasi, e sono... sono un'investigatrice privata... so che lei è in casa, cioè, lo immagino... mi deve scusare ma io ho delle informazioni da darle... con me lavora Paolo, Paolo Boni. Le ha lasciato un messaggio prima... Signor Lombardo, la prego, se conosce un paese che si chiama Colle La Costa, mi richiami...

---

[91] *Guai*: plurale di *guaio*, problema grave, disgrazia.

Venerdì 7 giugno
Ore 16.10

Oliver sta ascoltando l'ennesima[92] telefonata. Questa, poi, è di una sconosciuta, una certa Blasi, un'investigatrice privata.

Accanto a lui c'è Giulia Gracco, il suo avvocato.

Chi sarà questa Blasi? Oliver sta per abbassare il volume della segreteria, quando sente pronunciare quello strano nome: *Colle La Costa*.

Ma è il nome che Jane ha scritto dopo quella telefonata misteriosa, la sera della cena!

Alza il telefono appena in tempo.

– Aspetti! Sono io, Lombardo. Ma lei chi è esattamente? Come fa a sapere di Colle La Costa? Cos'è Colle La Costa? – Oliver è agitato. Non riesce a essere chiaro.

Giulia gli prende il telefono dalla mano.

– Pronto? Buonasera. Sono Giulia Gracco, l'avvocato del signor Lombardo. Possiamo incontrarci? Sa... il telefono non è un mezzo sicuro... D'accordo, nel mio studio, sono sull'elenco[93]... Tra mezz'ora... sì, arrivederci.

Oliver è seduto in una poltrona. Ha in mano un bicchiere di cognac. Giulia si avvicina.

– Ma che fai Oliver? Tu non bevi mai...

– Non ce la faccio più, Giulia. Io divento pazzo...

– Devi resistere. Jane comincia a migliorare. Perroni per la prima volta è ottimista. Resisti Oliver... Ti prego. Ora vado. Questa Blasi sa qualcosa. Comunque devo andare. Anche la polizia ora sa di lei e di questo misterioso Colle La Costa...

– Vuoi dire che il telefono è...

– ...certo. Il telefono è sotto controllo.

---

[92] *L'ennesima*: un'altra e poi un'altra ancora e così via.

[93] *Elenco*: libro che contiene tutti i nomi degli abbonati al telefono.

Sabato 8 giugno
Ore 6.30

Giulia è seduta in un grande bar di via Palestro. Miriam non si vede. È ancora presto e non c'è molta gente in giro. Ieri, nel suo studio, Miriam le è sembrata sincera. Un po' ingenua, forse, con quell'idea fissa di imitare Lola Lago, ma sincera.

Sarà davvero Barbara Martini quella che Miriam Blasi ha visto alla biblioteca? E perché mai vuole andare a Colle La Costa? E perché non risponde al telefono? Da cosa si nasconde?

Ecco che arriva Miriam. Giulia riconosce la sua figura magra, i suoi riccioli scuri tenuti indietro da un fazzoletto trasparente. Indossa una maglietta lunga e leggera su dei pantaloni aderenti e ha sulle spalle uno zainetto. È vestita completamente di nero.

Insieme a lei c'è un ragazzo alto e robusto, dai capelli castani. Ha anche lui uno zaino.

– Ciao Giulia, questo è Enzo, il mio assistente. È il fratello di Paolo. Dobbiamo fare in fretta, il pullman parte tra un quarto d'ora.

Giulia stringe la mano a Enzo.

– Piacere, io sono Giulia.

– Buongiorno.

– Ci diamo del tu, no? È più comodo.

– D'accordo – risponde Enzo, impacciato come al solito.

– Miriam, senti. Ti posso dire una cosa?

– Ma certo – risponde Miriam.

Enzo si allontana per lasciarle parlare da sole.

– Miriam, perché fai questo? Oliver non ti ha chiesto nulla...

– Non ti preoccupare. Non è per soldi. È che io... è che io, per diventare famosa, devo farmi conoscere. Se risolvo questo caso, forse riesco ad aprire un'agenzia di investigazioni. Ora andiamo, se no perdiamo il pullman.

Sabato 8 giugno
Ore 9.00

Oliver è già in piedi da ore.

Perroni ha detto che Jane dà segni di stare meglio... Non gli sembra vero.

Il magistrato ha detto che stanno cercando dei testimoni. Qualcuno deve averlo visto nel motel. Ma chi?

La voce della domestica interrompe i suoi pensieri.

– Signor Oliver! Signor Oliver!

– Sì?

– Guardi! – Anna gli porge una scatola di cioccolatini e una bustina da lettere bianca – era sul comodino della signora.

Oliver apre il biglietto. Legge.

Alla coppia più bella del mondo

con amore infinito

un'ammiratrice

Questi regali anonimi[94] arrivano spesso. Oliver tranquillizza Anna.

– Non c'è problema. Non li avevo visti. Si vede che il portinaio li ha dati a Jane. Succede...

– Sì, ma guardi! – Anna apre la scatola: quei cioccolatini sono molto strani, tutti diversi tra loro e che strano colore... Sembrano fatti in casa e... ne manca uno solo...

Uno solo...

Ma certo! Jane può averne mangiato uno quella sera!

Cioccolatini... cioccolatini avvelenati!

---

[94] *Anonimi*: senza nome.

Sabato 8 giugno
Ore 10.30

Ormai manca poco per Colle La Costa. Il pullman su cui viaggiano Miriam, Enzo e Giulia ha appena superato Terni[95] e si ferma alle cascate delle Marmore[96] per una sosta di dieci minuti.

Giulia e Enzo vanno a prendere un caffè.

Miriam rimane indietro... Barbara Martini non è salita sul pullman... Il suo intuito ha fallito!

Eppure... eppure sente che sta facendo la cosa giusta. Chi può darle una conferma? Chi può sapere?... Ma certo! Ora sa a chi può chiedere consiglio! Guarda l'orologio: tra cinque minuti si riparte. Si guarda intorno: nessun telefono. Si precipita verso Giulia.

– Giulia! Giulia! Scusa, mi presti il tuo telefonino[97]? È molto urgente. Devo chiamare mia nonna.

– Ma certo, tieni – Giulia le passa il suo cellulare.

– Grazie.

Miriam è agitata. Il problema ora è farsi capire da nonna Chelina.

– Pronto, nonna? Mi senti?... Sì sono io, Miriam... No, nonna non sono malata. Si sente male perché sono fuori Roma... Sì, sto bene, grazie, e tu?... Senti, nonna, tu conosci Jane Prince, quella modella che è all'ospedale, in coma?... No, nonna, non è il marito, è il suo compagno. No, non è lui l'assassino... No, nonna, non è morta... Oh insomma, nonna! Ascoltami! Tu sai che Jane Prince è di origine italiana, vero? Sai di dove erano i suoi genitori?... Come?... Sei sicura?... Beh, se lo ha detto a Pippo Baudo[98] sarà vero. Oh grazie nonna, sei un genio! Appena torno ti vengo a trovare... Ciao, nonna, ciao. – Miriam restituisce il telefono a Giulia. – Era mia nonna. Dimentica tutto. Sai, ha una certa età... Il bello è che dimentica le cose importanti e ricorda quelle più stupide. Guarda sempre la televisione... Va pazza per Pippo Baudo... Dice che la fa-

---

[95] *Terni*: una delle due province umbre. Si tratta di una città industriale di poco più di 100.000 abitanti.

[96] *La cascata delle Marmore*: a nord di Terni. È formata dal fiume Velino che si getta nel fiume Nera (affluente del Tevere) con un salto d'acqua di circa 180 metri.

[97] *Telefonino*: telefono cellulare nella lingua parlata.

[98] *Pippo Baudo*: presentatore molto noto di spettacoli di varietà della televisione.

miglia di origine di Jane veniva da un piccolo paese dell'Umbria... Ha visto un'intervista tempo fa...

Giulia sorride: quella ragazza è veramente piena di energia...

Sabato 8 giugno
Ore 11.00

Oliver ha consegnato i cioccolatini alla polizia. Ora è davanti al magistrato. Il magistrato è al telefono. Sembra stanco. Molto stanco. Attacca il telefono con calma, poi, con la stessa calma, si rivolge a Oliver.

– Alla polizia di Firenze si è presentato un uomo. Dice di aver letto sul giornale quello che è successo. Dice che l'ha vista la sera del 4 giugno nel motel sull'autostrada...

– Come? Mi ha visto? Ma se io non ricordo niente!

– E infatti. Questo signore conferma la sua versione[99]. Dice di averla vista in corridoio. Dice che lei era ubriaco e si appoggiava a una donna.

– Non ero ubriaco! Ma perché non volete credermi?

– Sì. Comincio a crederle. Abbiamo anche scoperto che la stanza del motel è stata pagata da una donna. E anche le sue analisi del sangue confermano tracce di un sonnifero[100] molto potente. Lei non è più agli arresti domiciliari. Ora però mi deve dire dov'è il suo avvocato e cosa significa questa telefonata – il magistrato mette davanti a Oliver la trascrizione della telefonata di Miriam Blasi.

– Non lo so. So solo che Giulia Gracco si è incontrata con questa Miriam Blasi. Sono andate in questo paese, a Colle La Costa. Non so altro. Ora posso andare a trovare Jane?

– Sì, certo. Lei è libero.

Sabato 8 giugno
Ore 11.00

Miriam, Enzo e Giulia sono in piedi sulla strada. Sono appena scesi dal pullman che si allontana lentamente per le curve della strada di montagna.

---

99 *La sua versione*: quello che ci ha raccontato.
100 *Sonnifero*: medicina che fa dormire.

– E così questo è Colle La Costa? – chiede Enzo deluso – Saranno venti o trenta case.

Anche Giulia ha l'aria delusa, ma Miriam non si perde d'animo[101].

– Beh... ormai ci siamo, quindi cominciamo a fare qualche domanda.

– Io ho bisogno di mangiare qualcosa, questo viaggio è stato terribile... Non capisco perché non siamo venute in macchina... – le parole di Giulia risuonano come un campanello nelle orecchie di Miriam.

– In macchina? Ma certo! Ecco perché Barbara Martini non era sul pullman!... Venite! Correte!

– Ma cosa succede? – chiede Enzo allarmato.

– Presto! Dobbiamo cercare la piazza del paese. In piazza c'è sicuramente una chiesa e forse anche un bar.

I tre imboccano un vicolo[102] in salita e dopo un centinaio di metri effettivamente arrivano nella piazza principale. Sulla destra c'è un piccolo bar con tre tavolini fuori, all'aperto. Sulla sinistra, di fronte al bar, c'è la chiesa.

– Ehi! Come facevi a saperlo? – Miriam sorride per l'ingenuità di Enzo.

– Da piccola andavo ogni estate al paese di nonna Chelina. Era il periodo più bello dell'anno. In tutti i paesi c'è una piazza e...

– ... e in tutte le piazze ci sono un bar e una chiesa – risponde Giulia – ora, però, mi vuoi spiegare cosa facciamo?

Miriam si guarda intorno. È difficile entrare nelle strade strette del paese e quasi tutti parcheggiano in piazza. Le macchine hanno tutte la targa di Perugia[103], tranne una: una Coupé Fiat rossa targata Milano.

– Guardate! Quella deve essere la macchina con cui è arrivata qui Barbara Martini.

– Ecco perché non era sul pullman.

– Venite. Chiediamo a qualcuno.

Sabato 8 giugno
Ore 12.00

Oliver è in un taxi diretto all'ospedale. Ripensa a quello che gli sta capitando: la persona che ha cercato di uccidere lui e Jane con i cioc-

---

[101] *Non si perde d'animo*: non si scoraggia.

[102] *Vicolo*: stradina stretta di paese o città.

[103] *Perugia*: città capoluogo dell'Umbria (150.000 abitanti circa). È sede di una antica università fondata nel XIII sec. e di un'Università per Stranieri.

colatini avvelenati, è la stessa persona che lo ha drogato e tenuto chiuso nel motel.

Secondo il testimone di Firenze, si tratta di una donna. Nel motel ha avuto tutto il tempo di ucciderlo. Come mai non l'ha fatto? E come è arrivato in quel motel?

Ecco. È davanti all'ospedale. Paga il tassista ed entra di corsa. Prende l'ascensore. Quinto piano: *Terapia Intensiva*. Davanti alla porta di Jane c'è una poliziotta. Oliver le fa vedere l'autorizzazione del giudice ed entra.

Jane...

Oliver la osserva a lungo: è pallida, bellissima. Si avvicina e le prende la mano delicatamente.

– Jane... Jane... Sono io.

Sabato 8 giugno
Ore 12.00

Miriam, Enzo e Giulia sono seduti a uno dei tavoli del bar, in piazza, a Colle la Costa.

Miriam aspetta il momento giusto per parlare con il proprietario. Non è facile. È una giornata di sole e la piazza è piena di gente. Molti entrano nel bar a prendere un caffè. I bambini comprano caramelle e sacchetti di patatine fritte.

Ecco: in questo momento è solo. Miriam entra.

– Senta... – il barista la guarda. Non è di molte parole. Strano, di solito nei paesi la gente è sempre pronta a fare due chiacchiere – io sto cercando una persona. Una donna. Mi ha dato un appuntamento qui, a Colle La Costa, però ho dimenticato l'indirizzo a Roma...

– Come si chiama? – la voce che risponde non è la voce del proprietario del bar. È la voce di una donna, forse sua moglie.

Miriam non l'aveva vista.

– Si chiama Barbara. Barbara Martini. Ha una macchina sportiva rossa. È parcheggiata qui fuori.

– Ho capito chi è. Qui non la conosciamo. È la prima volta che viene. Ci ha chiesto dove abita *la straniera*.

– *La straniera*? – l'istinto da investigatrice si riaccende in Miriam.

– Noi la chiamiamo così. Ha un nome difficile. È venuta due mesi fa, ha preso una vecchia casa e l'ha aggiustata un po'. Qui non è ben vista[104]... è un tipo strano... Sta molto in casa. Dice che fa la scrittrice. Non parla con nessuno e ogni tanto sparisce. Parte con il pullman e torna dopo due o tre giorni.

– La donna che è arrivata stamattina è andata da lei?

– Sì. E dove, se no?

– Dove sta questa... *straniera*?

– Devi[105] salire su, fino alla fine del paese. Dopo due case abbandonate c'è la sua. Dopo c'è solo la campagna.

– Grazie.

Miriam esce di corsa dal bar e si rivolge ai suoi compagni.

– Andiamo! Fate in fretta, vi prego.

Sabato 8 giugno
Ore 12.15

Oliver è seduto accanto a Jane.

Il professor Perroni gli ha raccomandato di parlarle sempre. Jane ha superato l'avvelenamento. Ora deve trovare la forza di reagire, di risvegliarsi.

Oliver le racconta la sua vita: di quando era bambino, della sua passione per la fotografia. La sua voce calma e serena è l'unico aiuto che può giungere a Jane dall'esterno.

Il trillo del cellulare lo interrompe bruscamente. Risponde. È il magistrato.

– *Le spiego tutto più tardi. Sono in viaggio verso Colle La Costa, in un elicottero della polizia. Forse Giulia Gracco e Miriam Blasi sono in pericolo. La richiamo appena ho notizie.*

Oliver sospira. Chissà perché a volte la vita diventa una specie di film...

---

[104] *Qui non è ben vista*: la straniera non piace alla gente del paese.

[105] Le persone di una certa età e gli anziani tendono a usare il *tu* quando si rivolgono ai giovani.

Sabato 8 giugno
Ore 12.30

Miriam, Enzo e Giulia si incamminano verso la cima della collina, dove sono le case più vecchie del paese. Di Barbara Martini non c'è nessuna traccia. È arrivata al mattino presto in paese. Da sola. Ha chiesto informazioni al bar. Da quel momento nessuno l'ha più vista.

Perché Barbara Martini cerca questa donna misteriosa che qui chiamano *la straniera*?

– Ecco le due case abbandonate – dice Enzo che è più avanti di qualche passo.

Ed ecco la casa che cercano. Il cancello è chiuso. Le persiane sono chiuse. La casa sembra disabitata.

C'è qualcosa di strano: Barbara Martini è sicuramente lì dentro. La sua macchina era in paese e lei non può essere tornata indietro senza incontrarli.

Enzo apre il suo zaino. Tira fuori un grosso cacciavite. Si avvicina a una porticina e comincia a fare forza per aprire. La porta è vecchia e non resiste a lungo.

Entrano piano, trattenendo il respiro dalla paura.

All'interno è buio. Non si vede niente. Dopo pochi secondi, però, i loro occhi si abituano all'oscurità.

Si ritrovano in una grande stanza. In un angolo c'è un camino. Davanti al camino un vecchio divano e un tavolo basso. Il tavolo è coperto di ritagli di giornale pieni di fotografie di Jane Prince e Oliver Lombardo.

Davanti a loro ci sono due porte. Si guardano in silenzio. La tensione è forte. Rischiano molto e lo sanno.

Miriam dice qualcosa a Enzo all'orecchio. Neanche Giulia riesce a distinguere le parole. Enzo esce dalla porticina da cui sono entrati e si nasconde fuori, in piedi, pronto a rientrare in caso di bisogno.

Miriam fa un cenno a Giulia. Si avvicinano a una delle due porte. Miriam va avanti, Giulia la segue. Miriam apre la porta di qualche centimetro e guarda all'interno della stanza.

– Mio Dio!... – dice trattenendo un grido – Giulia, aiutami, per favore...

Davanti a loro, in terra c'è Barbara Martini, legata e imbavagliata[106].

---

[106] *Imbavagliata*: con la bocca coperta per impedirle di gridare.

I suoi occhi azzurri terrorizzati sono aperti. Troppo aperti. Cercano di dire qualcosa. Ma l'istinto questa volta avverte Miriam in ritardo...

– Okay... – la voce le arriva da dietro. Una voce dal forte accento americano. "È la voce della straniera" pensa Miriam prima di voltarsi – e ora mi dovete dire come siete arrivate qui.

La straniera ha in mano una pistola... Una pistola!

A Miriam si piegano le gambe dalla paura. Ma è un tipo testardo. *Può* e *deve* farcela. Pensa intensamente a Lola Lago e le torna il coraggio.

Giulia, invece, è spaventata a morte: "ma perché non sono rimasta nel mio comodo studio, nella mia comoda poltrona di pelle, davanti a un mucchio di fogli? E cosa ci faccio io in un film giallo? E come sono arrivata in questo posto fuori dal mondo?" i pensieri le ruotano in testa lasciandola confusa.

– Aspetta! – Miriam recupera la parola in fretta – perché hai una pistola? Noi non siamo dei ladri. Noi volevamo solo sapere chi vive in questa casa...

– Quella è Giulia Gracco, l'avvocato di Lombardo... E voi avete seguito Barbara Martini... Non sono mica scema...

– Va bene. Ecco... io ho seguito Barbara perché l'ho vista in biblioteca, a Roma... – Miriam continua a parlare. Le trema la voce, ma non può fermarsi ora.

Giulia vede l'ombra di Enzo attraverso la porta. Poi vede l'ombra allontanarsi e la sua figura alta e robusta occupare lo spazio della porta. È dietro alla *straniera*, silenzioso come un gatto.

Miriam continua a parlare. Deve fare finta di nulla.

Enzo è pallido, ha paura di sbagliare, ha paura di essere ferito, ha paura e basta. Per un istante pensa di fuggire, di andare a chiedere aiuto. Poi guarda Miriam... non può deludere quegli occhi verdi pieni di fiducia...

Respira profondamente, raccoglie tutte le sue forze, poi, con uno scatto si butta sulla *straniera*.

La spinge a terra!

Ce l'ha fatta!

Dalla pistola parte un colpo, ma per fortuna va verso l'alto, proprio come nei film a lieto fine[107].

Enzo tiene ferma la *straniera*. Non è mai stato così orgoglioso di se stesso.

– Va bene così, capo?

---

[107] *A lieto fine*: che finiscono bene.

Miriam gli risponde con un sorriso e gli manda un bacio con un gesto della mano.

Giulia libera Barbara Martini.

Da fuori arriva il rumore di un elicottero. Poi, la voce di un altoparlante.

– *Attenzione! Polizia! La casa è circondata! Uscite tutti con le mani sopra la testa!*

Barbara piange in silenzio. Giulia la abbraccia.

– Poi ci spieghi tutto. Ma perché non hai avvertito nessuno?

– Ti può sembrare infantile... Mi vergogno un po'... Sai, io ho già venticinque anni... Una non può fare la modella per tutta la vita... Qualche giorno fa nel mio albergo ho conosciuto un'investigatrice privata spagnola, una certa Lola Lago, così ho pensato... ho pensato che se aiutavo Oliver e ci riuscivo da sola, magari...

– ...magari potevi aprire un'agenzia di investigazioni tutta tua! - la interrompe Miriam.

– E tu come lo sai?

– Beh... È una storia lunga...

Domenica 9 giugno
Ore 13.20

Oliver ha davanti a sé i giornali del mattino.

– Raccontami tutto, per favore – è la voce debole di Jane a chiederglielo.

Jane è seduta nel suo letto di ospedale. Ieri sera, come per miracolo, ha aperto gli occhi e ha sorriso al suo uomo, accanto a lei. È fuori pericolo ormai.

Oliver la guarda con occhi pieni di amore. C'è riuscito. Le ha parlato del passato, del presente e del futuro. È riuscito a risvegliare la sua Jane con le parole.

– Sei sicura? Te la senti?

– Lo so. Mi sono illusa. Credevo di aver trovato una sorella e invece... Però voglio sapere tutto.

– Quando Barbara ha saputo che mi accusavano di omicidio, si è ricordata di quello che le avevi confidato[108]. Tu le avevi raccontato che tua sorella Maria ti aveva cercato...

---

[108] *Confidato*: da *confidare*, dire in grande segreto.

– Sì. Maria mi aveva cercato un mese fa. Aveva con sé dei documenti dell'orfanotrofio dove sono cresciuta. Diceva di essere mia sorella. Le suore mi avevano sempre detto che la mia sorellina era stata adottata[109], ma che era morta dopo qualche mese. Io credevo di essere sola al mondo...

– Ed è vero. Questa donna che tutti chiamano *la straniera* non è tua sorella. È nata anche lei in America da genitori italiani, ma i suoi genitori sono ancora vivi. Un paio di anni fa ha letto la tua storia su un giornale e ha organizzato tutto. Ha lavorato nell'orfanotrofio dove sei stata da bambina. Ha rubato tutti i documenti che riguardavano la tua sorellina Maria e ha preparato un certificato falso di adozione. Ha letto che i tuoi nonni erano di Colle La Costa. Si è trasferita lì e ti ha telefonato.

– Mi ha fatto credere a tutto...

– Sì. Mi dispiace. Me lo dovevi dire... Dovevamo controllare...

– Volevo farti una sorpresa. Mi ero illusa. Volevo tanto avere una sorella.

– All'inizio Maria, che in realtà si chiama Antonella Mercucci, voleva soltanto entrare nella tua vita, nel tuo mondo, conoscere un po' di gente importante, e magari avere un po' di soldi. Poi... – Oliver capisce perché preferisce il mondo delle immagini. A volte è dura raccontare la verità con le parole.

– Poi? – gli occhi di Jane sono grandi e rossi.

– Poi tu le hai detto che volevi un figlio da me.

– Sì, è vero. Pensavo di dirlo a mia sorella.

– In lei è scattata un'idea terribile. Voleva essere l'unica erede[110]...

– Vuoi dire che... che lei... già pensava di uccidermi?

– Non lo sapremo mai. Forse all'inizio voleva solo conoscerti. La tua idea di avere un bambino comunque le ha fatto cambiare idea...

– E così ci ha mandato i cioccolatini...

– Sì. Nella sua mente dovevamo morire tutti e due, insieme. Poi tra qualche tempo avrebbe fatto in modo di far sapere di essere tua sorella...

– ...l'unica erede!

– Già... Io però non sono morto e allora ha pensato di rapirmi[111]. Uno che non ha niente da nascondere non scappa via, no? A quel punto per lei era più facile farmi accusare di omicidio che uccidermi...

---

[109] *Adottata*: da *adottare*, prendere come figlio una persona che non lo è.
[110] *Erede*: chi riceve le cose (soldi, case, ecc.) di chi muore.
[111] *Rapirmi*: da *rapire*, portare via qualcuno contro la sua volontà.

Silenzio. È davvero dura. Ma Jane è forte e riprende il discorso.

– Ma come ha fatto a portarti nel motel?

– È venuta qui all'ospedale. Ha chiesto informazioni alla polizia, diceva di essere una giornalista americana. Poi mi ha aspettato in una macchina bianca, grande, fuori dal Pronto Soccorso. Quando sono uscito io cercavo un taxi... Ero sconvolto e sono salito sulla sua macchina... Non ho fatto caso alla scritta... Mi ha drogato. Probabilmente mi ha fatto respirare qualche sostanza che fa perdere il controllo... Sai, questa Mercucci in America lavorava in un ospedale... Jane, mi dispiace...

– Anche a me... Ci ho creduto... – le lacrime le bagnano il viso silenziosamente. Oliver la tiene stretta a sé.

Dopo qualche minuto bussano alla porta.

– Chi sarà? - Jane si asciuga gli occhi.

– È Barbara. Mi ha chiesto se poteva venire... Avanti!

La porta si apre ed entra Barbara. Si avvicina al letto di Jane. Si abbracciano a lungo.

– Grazie – le sussurra Jane durante l'abbraccio.

– No, non mi ringraziare. Sono stata una stupida... Volevo fare tutto da sola e per poco non va a finire male. Quando ho letto i giornali, mi sono ricordata di quella sorella di cui mi parlavi... Sai, io non volevo dirtelo però mi è sempre sembrato strano... una sorella che arriva così, all'improvviso... e poi ti aveva convinto a fare tutto di nascosto... però non ricordavo il nome del tuo paese di origine e allora sono andata in biblioteca. Ho trovato una vecchia intervista tua. Parlavi di Colle La Costa. Meno male che mi ha visto Miriam...

– Miriam?

– Sì. Miriam Blasi, un'investigatrice privata. Se sono viva il merito è tutto suo. Guarda, te la faccio vedere.

Barbara accende il televisore che è di fronte al letto di Jane.

– Eccola, la vedi? È ospite del tigì uno[112] – Jane guarda quella ragazza magra, dai riccioli mori e gli occhi verdi. Il contorno degli occhi è sottolineato da una riga nera, le labbra sono di un rosso fuoco – è un'investigatrice privata. Quelli vicino a lei sono i suoi assistenti. Ha risolto il tuo caso. E siamo diventate amiche. Anzi, a dire il vero siamo diventate... socie.

---

[112] *Tigì uno*: pronuncia della sigla TG1, abbreviazione di telegiornale. Il *tigì uno* è il telegiornale del primo canale della RAI, la televisione pubblica.

ATTIVITÀ

Lunedì, 3 giugno

1. Sottolinea gli elementi falsi della descrizione di Oliver Lombardo.

Quarant'anni circa, biondo, camicia leggera, celeste, abbottonata con cura, pantaloni bianchi, scarpe da tennis. La sua persona è avvolta da discrezione e fascino.

2. Cosa prende Miriam a colazione?

3. Cosa fa Miriam durante la colazione?

4. Completa.

	Vero	Falso	Non lo so
a. Miriam abita a San Lorenzo.	❑	❑	❑
b. San Lorenzo è un quartiere rinascimentale.	❑	❑	❑
c. Il bar di Romolo ha un unico tavolo.	❑	❑	❑
d. Enzo è bassino, e così timido da sembrare ancora più magro.	❑	❑	❑
e. Miriam bacia Enzo per salutarlo.	❑	❑	❑

5. Oliver Lombardo è seduto fuori dalla porta della stanza dov'è Jane Prince. Una suora lo chiama. Perché?

6. Unisci come nell'esempio.

a. Miriam ha...	a. ...è il marito di Lisa.
b. Lisa...	b. ...fa l'avvocato.
c. Lisa...	c. ...è la moglie di Gino.
d. Gino...	d. ...è la sorella di Miriam.
e. Miriam è...	e. ...per Mario.
f. Mario...	f. ...la sorella di Lisa.
g. Miriam lavora...	g. ...una sorella.

7. "A Oliver scoppia la testa" significa...

a. "che è molto triste".

b. "che non ha tempo".

c. "che non sente bene".

d. "che è confuso".

8. Trova nel testo un altro modo per dire "molto usata".

Martedì, 4 giugno

1. Sottolinea gli elementi falsi della descrizione di Nonna Chelina.

Nonna Chelina è minuta. I capelli grigi sono tirati indietro e tenuti da un fermaglio. Il suo vestito è come sempre blu, semplice.

2. Metti in ordine la giornata di Oliver Lombardo.

a. Esce dal reparto dove è ricoverata Jane.

b. Cerca l'ufficio della polizia.

c. Fugge dal Pronto Soccorso.

d. Viene a sapere dal professor Perroni che Jane è in coma.

e. Spiega al poliziotto che Jane è in coma.

3. Sai descrivere Miriam? Segna solo le affermazioni di cui sei sicuro/a.

a. È alta.	b. È bassa.	c. È normale.
d. Ha i capelli biondi.	e. Ha i capelli neri.	f. Ha i capelli castani.
g. Ha i capelli mossi.	h. Ha i capelli ricci.	i. Ha i capelli lisci.
j. Ha il viso regolare.	k. Ha il viso ovale.	l. Ha il viso tondo.
m. Ha gli occhi neri.	n. Ha gli occhi blu.	o. Ha gli occhi verdi.

Mercoledì, 5 giugno

1. Cosa succede in questa giornata?

Giovedì, 6 giugno

1. Ricordi la descrizione della stanza del motel in cui Oliver si risveglia? Fai una lista dei mobili che vede.

2. Come si salutano Miriam e Enzo in pizzeria?

3. Come si salutano Miriam e Paolo in pizzeria?

4. Unisci come nell'esempio.

a. Quella che ha di fronte...
b. L'aria è fresca...
c. Vi ho chiesto di venire qui...
d. Hanno arrestato Oliver Lombardo...
e. È molto contenta...

a. ...perché ho in mente un'idea.
b. ...stasera, verso le sette.
c. ...del suo intuito femminile.
d. ...deve essere la Roma-Firenze...
e. ...anche troppo per una serata di giugno.

5. Nel portafoglio di Oliver ci sono...

a. assegni
b. pillole per il mal di testa
c. passaporto
d. carte di credito
e. codice fiscale
f. carta d'identità
g. tessera dei fotografi di moda
h. patente
i. soldi

6. Completa con gli elementi del box.

scopre dichiara accusano scompare
sente ricoverano innamora

Jane Prince è una modella famosa. Ogni giorno incontra un sacco di gente ricca, attraente e affascinante. Si ______ di Oliver Lombardo e vanno a vivere insieme. Fila tutto liscio. Lunedì scorso, all'improvviso, Jane si ______ male. La ______ in ospedale. Lombardo le rimane vicino per circa ventiquattr'ore poi, quando Jane entra in coma, si ______ che è a causa di un veleno. Solo a questo punto lui ______. Lo ritrovano due giorni dopo sull'autostrada. ______ di non ricordare nulla. La polizia cosa deduce? Che lui finge. Lo credono responsabile dell'avvelenamento e perciò lo ______ di omicidio!

7. Ora chiudi il libro e prova tu a riassumere i fatti accaduti fin qui. Poi controlla sul testo.

Venerdì, 7 giugno

1. Per quanti giorni la polizia ha cercato Oliver Lombardo?

2. "Parlottare" significa...

3. Miriam va alla Biblioteca Nazionale per...

a. ...studiare.

b. ...consultare dei giornali e scoprire qualcosa di Lola Lago.

c. ...consultare dei giornali e scoprire qualcosa di Jane Prince.

4. L'avvocato di Oliver Lombardo si chiama...

a. ...Giulio Gracco. b. ...Giulia Gracco.

5. Come si salutano Oliver e il suo avvocato?

6. Unisci ogni domanda con la sua risposta.

a. – Un omicida, io? Ma perché?	a. – Non lo so.
b. – Ma perché eri sull'autostrada?	b. – Sì.
c. – Davvero non ricordi nulla?	c. – Perché sei fuggito.
d. – Sei andata in ospedale?	d. – No. Niente di niente.

7. La sera in cui Jane è stata avvelenata...

a. ... sembrava malinconica.

b. ... ha ricevuto una telefonata.

c. ... sembrava gelosa.

8. Sottolinea gli elementi falsi della descrizione di Barbara Martini.

È alta, molto alta. Bella, di una bellezza semplice ed elegante, per nulla volgare. Indossa degli occhiali scuri e un cappello che le copre anche la fronte fin sopra agli occhi.

9. Forma tutte le combinazioni possibili, poi controlla quelle presenti nel testo.

a. percorre un tratto	a. davanti alle biglietterie
b. gira a destra	b. verso l'ufficio informazioni
c. arriva	c. per via Vicenza
d. attraversa	d. di viale Castro Pretorio
e. entra	e. la strada
f. passa	f. a via Marsala
g. si dirige	g. nella stazione

10. Se dico "ho dei guai", dico...

a. ...ho un problema.

b. ...ho un grosso problema.

c. ...ho un piccolo problema.

11. Perché Oliver decide di rispondere quando sente il messaggio di Miriam?

12. Conosci un altro modo per dire "magistrato"?

Sabato, 8 giugno

1. Ricostruisci il dialogo.

a. – Buongiorno.

b. – Miriam, senti. Ti posso dire una cosa?

c. – D'accordo – risponde Enzo, impacciato come al solito.

d. – Piacere, io sono Giulia.

e. – Ma certo – risponde Miriam.

f. – Ci diamo del tu, no? È più comodo.

2. Chi è Anna?

3. Riscrivi il biglietto che accompagna la scatola di cioccolatini.

4. In questa parte del testo l'azione si sposta da Roma a...

5. Completa.

	Vero	Falso	Non lo so
a. Il magistrato ora crede a Oliver.	❑	❑	❑
b. È apparso un testimone.	❑	❑	❑
c. Finalmente si scopre che Oliver era ubriaco.	❑	❑	❑
d. Oliver ha il telefono sotto controllo.	❑	❑	❑
e. Miriam conosce già Colle La Costa.	❑	❑	❑

6. Completa con *è* o con *ha*.

Nel motel ___ avuto tutto il tempo di ucciderlo. Come mai non l'___ fatto? E come ___ arrivato in quel motel?
Ecco. ___ arrivato.

7. Completa le frasi.

a. Oliver è in un taxi, diretto ______________________________.

b. Ripensa a quello che gli sta ____________________________.

c. Secondo il testimone di Firenze, si tratta ___________________.

8. Trova nel testo la parola che ha lo stesso significato di "squillo".

9. Cosa significa "imbavagliata"?

10. Unisci come nell'esempio.

a. Miriam dice...	a. ...avanti.
b. Miriam fa...	b. ...un cenno a Giulia.
c. Miriam va...	c. ...si piegano le gambe dalla paura.
d. Miriam apre...	d. ...qualcosa a Enzo nell'orecchio.
e. A Miriam...	e. ...la porta.

Domenica 9 giugno

1. Chi è Maria?

2. Dove è cresciuta Jane?

3. Perché Oliver pensa che a volte è il mondo delle immagini è migliore di quello delle parole?

4. Chi è Antonella Mercucci?

5. Chi ha mandato i cioccolatini?

6. Rimetti in ordine i fatti.

a. Barbara va a trovare Jane in ospedale.

b. Jane si risveglia dal coma.

c. Accendono la televisione.

d. Oliver racconta i fatti accaduti.

e. Oliver parla a Jane per ore e ore.

f. Jane chiede spiegazioni.

g. Oliver abbraccia forte Jane.

CHIAVI

Lunedì, 3 giugno

1. Quarant'anni circa, biondo, camicia leggera, celeste, abbottonata con cura, pantaloni bianchi, scarpe da tennis. La sua persona è avvolta da discrezione e fascino. **2.** Una tazza di caffè e latte. **3.** Ascolta il Giornale Radio. **4.** a.-Vero; b.-Non lo so; c.-Vero; d.-Falso; e.-Falso. **5.** Perché il professor Perroni vuole parlare con lui. **6.** a-g; b-c; c-d; d-a; e-f; f-b; g-e. **7.** d. **8.** Consumata.

Martedì, 4 giugno

1. Nonna Chelina è minuta. I capelli grigi sono tirati indietro e tenuti da un fermaglio. Il suo vestito è come sempre blu, semplice. **2.** d-a-b-e-c. **3.** e-h-j-o.

Mercoledì, 5 giugno

1. Non lo sappiamo. Nello svolgimento della storia si passa da martedì 4 giugno a giovedì 6 giugno.

Giovedì, 6 giugno

1. comodino; poltrona; piccolo tavolo; frigo bar. **2.** Si danno la mano. **3.** Si danno due baci. **4.** a-d; b-e; c-a; d-b; e-c. **5.** d; f; h; i. **6.** innamora; sente; ricoverano; scopre; scompare; dichiara; accusano.

Venerdì, 7 giugno

1. Due giorni e mezzo. **2.** Chiacchierare a voce bassa. **3.** b. **4.** b. **5.** Si abbracciano forte. **6.** a-c; b-a; c-d; d-b. **7.** b. **8.** La descrizione è esatta. **9.** Combinazioni possibili: a-d; b-a; b-b; b-c; b-f; b-g; c-a; c-f; d-a; d-e; d-f; e-a; e-f; e-g; f-a; f-c; f-f; f-g. Combinazioni presenti nel testo: a-d; b-c; c-f; d-e; e-g; f-a; g-b. **10.** b. **11.** Perché Miriam parla di Colle La Costa, e Oliver ha letto da poco quel nome sul biglietto scritto da Jane che ha trovato vicino al telefono. **12.** Giudice.

Sabato, 8 giugno

1. d-a-f-c-b-e **2.** La domestica di Oliver. **3.** Alla coppia più bella del mondo, con amore infinito... Un'ammiratrice **4.** A Colle La Costa, in Umbria. **5.** a-Vero; b-Vero; c-Falso; d-Vero; e-Falso. **6.** ha; ha; è; è. **7.** a. all'ospedale. b. capitando. c. di una donna. **8.** trillo. **9.** Con la bocca coperta. **10.** a-d; b-b; c-a; d-e; e-c.

Domenica 9 giugno

1. Maria è il nome falso di Antonella Mercucci, la donna che ha tentato di avvelenare Jane Prince. **2.** In un orfanotrofio di suore. **3.** Perché deve dire la verità a Jane e sa che la verità è dolorosa per lei. **4.** La donna che ha tentato di avvelenare Jane e che si è fatta passare per sua sorella. **5.** Antonella Mercucci. **6.** e-b-f-d-g-a-c.

L'italiano per stranieri

Amato
Mondo italiano
testi autentici sulla realtà sociale
e culturale italiana
- libro dello studente
- quaderno degli esercizi

Ambroso e Stefancich
Parole
10 percorsi nel lessico italiano
esercizi guidati

Avitabile
Italian for the English-speaking

Barki e Diadori
Pro e contro 1
conversare e argomentare in italiano
livello intermedio
- libro dello studente
- guida per l'insegnante

Battaglia
Grammatica italiana per stranieri

Battaglia
Gramática italiana para estudiantes de habla española

Battaglia
Leggiamo e conversiamo
letture italiane con esercizi
per la conversazione

Battaglia e Varsi
Parole e immagini
corso elementare di lingua italiana
per principianti

Bettoni e Vicentini
Passeggiate italiane
lezioni di italiano - livello avanzato

Bettoni e Vicentini
Imparare dal vivo**
lezioni di italiano - livello avanzato
- manuale per l'allievo
- chiavi per gli esercizi

Buttaroni
Letteratura al naturale
autori italiani contemporanei
con attività di analisi linguistica

Camalich e Temperini
Un mare di parole
letture ed esercizi di lessico italiano

Cherubini
L'italiano per gli affari
corso comunicativo di lingua
e cultura aziendale
- manuale di lavoro
- 1 audiocassetta

Diadori
Senza parole
100 gesti degli italiani

Gruppo META
Uno
corso comunicativo di italiano
primo livello
- libro dello studente
- libro degli esercizi e sintesi di grammatica
- guida per l'insegnante
- 3 audiocassette

Gruppo META
Due
corso comunicativo di italiano
secondo livello
- libro dello studente
- libro degli esercizi e sintesi di grammatica
- guida per l'insegnante
- 4 audiocassette

Gruppo NAVILE
Dire, fare, capire
l'italiano come seconda lingua
- libro dello studente
- guida per l'insegnante
- 1 audiocassetta

Humphris, Luzi Catizone, Urbani
Comunicare meglio
corso di italiano
livello intermedio-avanzato
- manuale per l'allievo
- manuale per l'insegnante
- 4 audiocassette

Classici italiani per stranieri
testi con parafrasi* a fronte e note

1. Leopardi • ***Poesie****
2. Boccaccio • ***Cinque novelle****
3. Machiavelli • ***Il principe****
4. Foscolo • ***Sepolcri e sonetti****
5. Pirandello • ***Così è (se vi pare)***
6. D'Annunzio • ***Poesie****
7. D'Annunzio • ***Novelle***
8. Verga • ***Novelle***
9. Pascoli • ***Poesie****
10. Manzoni • ***Inni, odi e cori****
11. Petrarca • ***Poesie****
12. Dante • ***Inferno****
13. Dante • ***Purgatorio****
14. Dante • ***Paradiso****
15. Goldoni • ***La locandiera***

Libretti d'opera per stranieri
testi con parafrasi* a fronte e note

1. ***La Traviata****
2. ***Cavalleria rusticana****
3. ***Rigoletto****
4. ***La Bohème****
5. ***Il barbiere di Siviglia****
6. ***Tosca****
7. ***Le nozze di Figaro***
8. ***Don Giovanni***
9. ***Così fan tutte***

Letture per stranieri

1. Marretta • ***Pronto, commissario...? 1***
16 racconti gialli con soluzioni ed esercizi per la comprensione del testo
2. Marretta • ***Pronto, commissario...? 2***
16 racconti gialli con soluzioni ed esercizi per la comprensione del testo

Mosaico italiano
racconti per stranieri

1. Santoni • ***La straniera***
2. Nabboli • ***Una spiaggia rischiosa***
3. Nencini • ***Giallo a Cortina***
4. Nencini • ***Il mistero del quadro di Porta Portese***
5. Santoni • ***Primavera a Roma***

Bonacci editore

Linguaggi settoriali

Dica 33
Il linguaggio della medicina
- libro dello studente
- guida per l'insegnante
- 1 audiocassetta

L'arte del costruire
- libro dello studente
- guida per l'insegnante

Una lingua in Pretura
Il linguaggio del diritto
- libro dello studente
- guida per l'insegnante
- 1 audiocassetta

I libri dell'arco

1. Balboni • ***Didattica dell'italiano a stranieri***
2. Diadori • ***L'italiano televisivo***
3. Micheli • ***Test d'ingresso di italiano per stranieri***
4. Benucci • ***La grammatica nell'insegnamento dell'italiano a stranieri***
5. AA.VV. • ***Curricolo d'italiano per stranieri***

Università per Stranieri di Siena - Bonacci editore

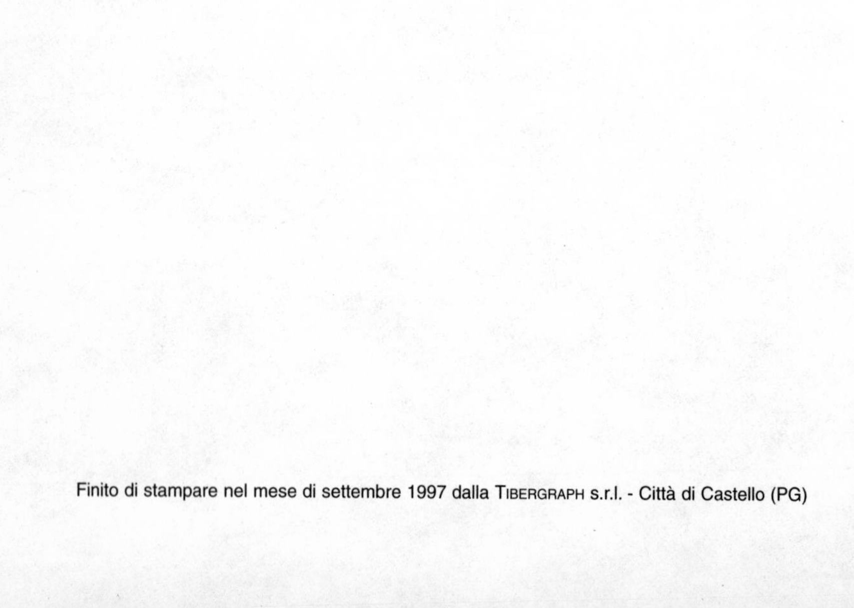

Finito di stampare nel mese di settembre 1997 dalla TIBERGRAPH s.r.l. - Città di Castello (PG)